Sept ans de solitude

DU MÊME AUTEUR

Bouillottes, Gallimard, 1998 (roman)

Éric Halphen

Sept ans de solitude

Ouvrage publié sous la direction
de Guy Birenbaum

9, rue du Cherche-Midi, 75006 Paris
ISBN : 2.207.25338.4
B 25338.1

Pour mes enfants

À tous ceux qui, quel que soit
leur métier, tentent de l'excercer
avec persévérance, compétence, courage.

Abattre son jeu et, dans les deux sens du terme, s'exposer, n'est-ce pas se donner la force, l'allant, la liberté incontrôlable de celui à qui on ne peut rien prendre (il retourne ses poches), que l'on ne peut pas démasquer (il balance ses masques), que nulle accusation n'atteint (il a tout avoué), et qui n'a rien à perdre (il sait qu'il a tout perdu) ?

François Taillandier, *N6*.

Prologue
La tentation de Venise

> Je n'aurais jamais dû me mêler de ce qui me regarde.
> René Belleto, *Histoire d'une vie.*

Je suis sans doute vieux jeu : je ne supporte pas les fins. Qu'il s'agisse d'un film, d'un roman ou d'un séjour, d'un dossier, d'un siècle ou d'un amour, les fins me blessent bien plus qu'il ne faudrait. J'ai beau tenter de me contrôler, me dire que certaines fins ne sont que d'apparence, de façade, que derrière la cassure éphémère se cachent, prêtes à jaillir, les forces du renouveau, rien n'y fait : elles me laissent amputé à jamais.

Pour les fins, Venise constitue un décor impitoyable. Certes, les nombreuses églises peuvent paraître compatissantes, les palais solidaires, les clapotis réguliers des vaguelettes complices. Mais le ciel joue l'indifférent et les canaux savent se fermer pour refuser leur concours.

Témoin ce jour de début septembre 2001. Il pleut sur la ville, les gondoliers s'abritent, les touristes se calfeutrent du mieux qu'ils peuvent. Le téléphone sonne. J. répond, articule deux, trois mots, me passe le portable. Je la fixe : ses yeux pensent à autre chose.

Au bout du fil mon père, la voix fermée elle aussi. Venant d'apprendre en regardant LCI le verdict de la chambre de l'instruction, il distille les informations au compte-gouttes, préservant le suspense. La saisie de la cassette Méry ? Annulée. L'audition de François Ciolina, cet ancien dirigeant de l'Opac qui avait mis directement en cause sur procès-verbal Jacques Chirac ? Annulée. La convocation du chef de l'État, mon ordonnance d'incompétence ? Annulées. Dire que la surprise est immense serait mentir. Depuis le début de mon instruction sur les HLM de Paris, nul ne pourrait prétendre que j'ai été soutenu par mes supérieurs. Message que j'essaye, pour lui remonter le moral, de transmettre à mon père.

Oui, mais ce n'est pas tout, reprend-il, la voix moins fermée maintenant que remplie d'émotion, prête à éclater. De chagrin, de rage. Ce n'est pas tout : la juridiction d'appel a opté pour le dessaisissement, un juge de Paris va reprendre le dossier. Selon mon père, je ne peux pas rester sans réagir : il faut que je regagne Paris sur-le-champ.

Pour l'heure, je raccroche, tandis que le *vaporetto* aborde en tanguant l'église de la Salute. J. me précède sur le quai mouillé. Je lui explique de quoi il retourne. Elle allume une cigarette, réfléchit un instant, puis me dit : « Finalement, ce n'est pas si mal, comme fin. Une bonne façon de se débarrasser du fardeau, non ? Tu vas pouvoir enfin passer à autre chose. Il serait temps... Tu n'en as pas marre, de ce dossier ? »

Que si. Après sept ans, je ne sais toujours pas si ça

a été une chance de m'occuper de cette instruction, ou un malheur. J'ai vécu, croisé beaucoup de gens, échappé à la médiocrité, aux jours qui se suivent et toujours se ressemblent. Mais j'ai aussi stressé, souffert, reçu plus de coups que n'importe quel juge avant moi ; vieilli. Alors il est vrai que je n'irai pas me plaindre qu'on m'ait retiré mon jouet. Mais c'est la forme qui me heurte. Le désaveu. La joie narquoise du camp d'en face.

Nous rentrons.

Un peu plus tard. La pluie a cessé, le Redentore est en travaux, la Giudecca en chantier, un massif paquebot passe devant les fenêtres de la *pensione*. Je viens d'avoir Christine Dufour au téléphone. Intelligente, laconique, elle partage depuis douze ans ma vie professionnelle : un record de longévité pour un couple juge-greffier. Effondrée, elle se raccroche au concret. Liste de ceux qui ont appelé pour me soutenir, des avocats, des policiers, des anonymes, ou pour solliciter une réaction, des journalistes, des représentants de syndicats de magistrats. Tentative d'analyse des attendus de l'arrêt. D'après ce que lui a dit une de mes collègues, le dessaisissement n'est en rien motivé, il ne peut s'agir que d'une erreur de frappe. Je suis sceptique. Une erreur, je n'y crois pas. Tout a l'air au contraire trop bien préparé. La fin programmée d'un empêcheur de s'arranger en rond. Quand même. À y réfléchir, la ficelle semble énorme, elle ne passera pas, elle ne peut pas passer.

L'espoir fait vivre.

Encore un peu plus tard. Je décortique l'arrêt que Christine m'a télécopié. Ce n'est pas seulement un désaveu, mais une attaque en règle contre moi. On laisse entendre que, volontairement, j'aurais poursuivi mon instruction sans tenir compte de l'ordonnance de suspension prononcée un an auparavant et que je n'ai jamais reçue. On affirme que j'avais forcément eu connaissance de cette ordonnance, puisqu'elle figure en original au dossier. En oubliant de dire que le dossier, lui, ne se trouvait pas en ma possession au moment où j'ai accompli les actes litigieux. Cette mauvaise foi me transperce.

Allez. Le ciel s'entrouvre, la lagune retrouve sa couleur d'émeraude, les rumeurs se réveillent.

Demain, il fera beau.

Oui : le lendemain, il fait beau. Je traverse le Campo San Stefano, un des plus beaux de Venise, passe devant les cafés bondés de Français venus en masse assister à la Mostra, puis pénètre tout au fond à gauche dans l'Internet café. Là, je me connecte sur les sites des quotidiens parisiens. Les réactions sont bien en deçà de mon espérance. *Le Figaro* tresse l'éloge de la présidente de la chambre de l'instruction. Pour *Le Monde*, mon dessaisissement apparaissait inévitable. Seul *Libération* tente de prendre ma défense. Les sites des télévisions montrent, eux, trois avocats pérorant devant les caméras dans les couloirs du Palais de Justice. Justice. À la suite de cette décision que j'estime injuste, je m'attendais à davantage, non pas d'égards, il ne faut pas exagérer, mais d'esprit critique. Même si je conviens qu'il est difficile, pour un journaliste, de s'en prendre ouvertement à une décision de justice, je ne peux que dresser ce constat amer : qu'on retire son dossier à un juge qui n'a pas démérité, tout le monde s'en moque.

Dois-je accorder une interview, écrire une tribune, accepter une émission de radio ou de télévision ? Mes proches tentent de m'y pousser, moi de résister. Depuis que m'a échu cette enquête à hauts risques, j'ai toujours essayé de marquer une différence entre affaire médiatisée et juge médiatique. D'où mon refus de parader à quelque émission que ce soit. Mais là, c'est directement à ma personne qu'on s'en prend. À mon honneur.

Alors ?

Non. La colère est mauvaise conseillère. Mieux vaut garder le silence, courber l'échine en attendant que ça passe.

Passer à autre chose, m'a dit J. Ces mots trottent dans ma tête. Cela fait plusieurs années que je pressens que je ne finirai pas ma vie professionnelle dans la peau d'un juge. Les ors fanés de la Cour de cassation, très peu pour moi. Les sempiternelles conversations relatives à l'avancement, à la mutation toujours contestée du voisin, aux comparaisons pointilleuses entre les charges de travail respectives des différentes chambres, pallient mal une absence quasi totale de réflexion sur notre charge, notre mission, les moyens de faire en sorte que la société soit un peu plus juste.

On a pu écrire que la magistrature était un petit métier pratiqué par de petites gens. Je ne suis pas d'accord sur la première partie de cette analyse : juger, trancher, décider, chercher la vérité, c'est un beau métier ; mais les collègues me déçoivent jour après jour.

C'est donc empreint de lassitude que j'avais commencé à instruire l'affaire des HLM de Paris. Mais je continuais, dans la solitude de mon cabinet, à œuvrer pour éviter l'injustice, à faire en sorte que la Justice soit la même pour tous. Cette lutte de l'intérieur, je n'y crois plus. La lassitude a fait place au dégoût. À la fuite de la foi.

À l'érosion de ma vocation.

1.
Les prémices

> Il n'avait que des intuitions de son être véritable (...).
> Romain Rolland, *Jean-Christophe.*

Hasard, ou vocation ? Lorsqu'on me demande pourquoi je suis devenu juge d'instruction, les deux réponses se bousculent. La première, superficielle, truqueuse, insiste sur la passivité. J'aurais fait du droit en sortant du lycée faute de savoir quoi faire d'autre. Après la maîtrise, la carrière de juge se serait imposée d'elle-même, par défaut, parce qu'il fallait bien en sortir et que je ne souhaitais être ni juriste – les longues démonstrations m'ennuient –, ni avocat – cet auxiliaire de justice qui, dépendant du bon vouloir du client, acceptant parfois la complaisance, n'est pas vraiment libre.

La paresse franchie, une autre interprétation s'impose. Elle trouve sa source dans l'intérêt que je porte depuis mon plus jeune âge à tout ce qui touche au monde judiciaire ; dans certaines images que je croyais oubliées et qui me reviennent à l'esprit. Ainsi ce « carrefour des métiers », organisé dans l'école primaire que je fréquentais à Versailles, alors que j'avais une dizaine d'années. Des représentants de diverses professions, installés dans les salles de classe, tentaient d'expliquer les subtilités de leurs métiers respectifs. Ingénieurs, médecins, pharmaciens ou notaires, en général parents d'élèves de l'école, se dévouaient ainsi quelques heures d'un week-end pour tenter d'éveiller les envies.

Le seul à avoir retenu mon attention ce jour-là fut un juge. Installé au bureau du maître, devant le tableau noir, il parlait longuement de la grandeur de la tâche de juge d'instruction. J'ai tout oublié de cet homme, son nom comme les traits de son visage, mais je garde encore en mémoire l'une de ses phrases, prononcée avec l'autorité que confèrent à la fois la hauteur de l'estrade et l'âge de l'orateur : « Le juge d'instruction est l'homme le plus puissant de France. Même le président de la République, si le juge le convoque, est obligé de lui obéir. » Bien que n'ayant jamais eu le goût de la puissance ni du pouvoir, cette phrase est restée gravée quelque part dans un coin de mon inconscient. Elle se révélera, beaucoup plus tard, d'une cruelle ironie.

D'autres souvenirs, encore. Je me revois, installé dans la cuisine familiale avec ma mère, alors que nous déjeunons en écoutant la radio. Ce que l'on appelle alors l'affaire de Bruay-en-Artois défraie les chroniques et mobilise les médias. Une jeune fille de milieu modeste a été retrouvée assassinée, le notaire du bourg soupçonné du meurtre. Le juge Pascal, chargé de ce dossier, est suivi comme son ombre par la cohorte des reporters qui relatent au micro chaque péripétie de l'enquête. Collés aux basques du juge, ils font vivre aux auditeurs les moindres reconstitutions de trajet que le juge effectue pour vérifier l'alibi du suspect. Je vais suivre avec passion toute cette affaire, prenant parti pour ce petit juge qui s'en prend à un notable, qui tente en solitaire de rechercher la vérité. Par la suite, le suspect a été mis hors de cause, un jeune homme un peu débile accusé du crime, l'enquête du juge Pascal critiquée. Mais je ne suis toujours pas persuadé qu'il avait tort.

Je croiserai Pascal quelquefois dans les locaux du palais de justice de Douai. Il m'apparaîtra usé, les yeux dans les nuages, l'air un peu perdu. Nous aurons un jour une conversation dans mon bureau, à propos de tout et de rien. Pascal me parlera de quelques-uns de nos collègues, des « fous » selon lui. Et puis il s'en ira, sans que j'ose lui dire que, peut-être, il avait été à l'origine de ma vocation.

Enfin, je pense que le cinéma a également pesé dans mon choix professionnel. J'ai été très marqué par certains films tournant autour de l'injustice, comme *Le Trou* de Jacques Becker, *Douze hommes en colère*, les films de Cayatte. Il me semblait que rien n'était pire au monde qu'une erreur judiciaire : être accusé d'une infraction que l'on n'a pas commise, aller en prison pour rien. À l'époque, je n'avais pas encore clairement idée de ce que je ferais, du moins je ne l'avais pas formulé. Mais je le pressentais peut-être suffisamment pour me dire que, si un jour je devais me retrouver dans le monde judiciaire, je devrais garder en permanence à l'esprit cette terrible erreur judiciaire. C'est peut-être en souvenir de ces films, dans lesquels, hormis le *happy end* américain, c'est souvent le méchant qui gagne et le gentil innocent qui se retrouve derrière les barreaux, que j'ai eu envie d'être juge d'instruction. Pour tenter d'empêcher les erreurs.

À moins que les astres en aient décidé ainsi à mon insu... Si j'en crois une confidence de ma mère. Quand ma sœur, mon frère et moi étions enfants, elle avait fait faire nos thèmes astraux par l'une de ses amies. La conclusion en était édifiante : « Éric sera très fort dans les métiers pour lesquels on a besoin de garder un secret, genre espion, homme politique ou juge. »

Pour les planètes comme pour l'état civil, je suis né à Clichy, en 1959, de parents journalistes, mon père à *Paris-Presse*, ma mère à *Elle*. Lorsque j'ai sept ans, mon père rachète l'ancienne maison de la famille à Versailles, et nous nous y installons. J'y passerai le reste de mon enfance, fréquentant d'abord le lycée Rameau, puis le lycée Hoche. Je suis bon élève, toujours premier durant ma scolarité en primaire. Au point de me faire houspiller par mon père les rares fois où je rentre à la maison avec une place de deuxième sur mon livret. L'une des grandes fiertés de ma mère est de raconter l'épisode où j'ai décroché le prix d'excellence et le prix de camaraderie. « Mon fils, non seulement il est premier de la classe, mais en plus, il est aimé par les autres. » Il est vrai que, pendant les compositions, je laisse facilement copier sur moi.

Mes résultats scolaires restent bons au début du secondaire, jusqu'en troisième, puis les choses se gâtent, notamment en physique-chimie, où je ne comprends pas bien ce qu'il faut faire. Au point de passer de la première C scientifique à la terminale A littéraire. J'ai le bac sans mention en juin 1977, je m'inscris en droit. À la faculté de Sceaux, dans la banlieue sud de Paris, davantage un gros lycée qu'une fac, horaires fixes et enseignants pointilleux, aux antipodes de l'image des campus à l'américaine. J'enchaîne les années sans problème, obtenant la moyenne à chaque session de juin. Après la licence, en 1980, je m'inscris à Paris pour faire ma maîtrise en même temps qu'à l'IEJ, institut qui prépare au concours d'entrée à l'École nationale de la magistrature. Pour moi, il s'agit en fait d'une année d'entraînement. Chaque candidat peut en effet passer trois fois le concours, et je mise sur cette première présentation pour me faire une idée. Alors que j'aurais dû bûcher toute l'année pour avaler le programme de droit pénal et de droit civil, je ne fais strictement rien jusqu'à l'approche de la date fatidique. Là, j'ai un sursaut et décide de m'y mettre. Sauf que je n'ai plus le temps matériel de tout réviser. Je fais donc des impasses, écartant tous les sujets donnés au concours durant les quinze années précédentes. Par chance, aucun de ces sujets ne sort lors de l'épreuve. Mieux, deux jours avant le concours, je reprends entièrement l'introduction du traité de droit pénal, qui évoque notamment la distinction entre infraction politique et infraction de droit commun. Et sur quoi porte l'épreuve de droit pénal ? Sur la distinction entre infraction politique et infraction de droit commun. Le destin, sans doute… Avec ma bonne prestation lors de l'épreuve de note de synthèse, qui me vaut une des meilleures notes de la promo, je réussis l'écrit. La chance me sert encore à l'oral, avec le tirage au sort de la lettre Z, ce qui me laisse du temps pour réviser et réussir les épreuves techniques. En revanche, le grand oral vire à la Berezina : 5 sur 20. À partir d'un sujet concernant l'État et l'alcool, les examinateurs se mettent brusquement à me citer des noms d'artistes connus, en me demandant à quoi ces gens se saoulaient. Gauguin et l'absinthe, d'accord, mais après, je patauge. Puis ils attaquent sur le privilège des bouilleurs de cru, je sèche (maintenant, je sais ce que c'est), avant de me demander qui est Nicolas Bourbaki, pseudonyme collectif d'un groupe de mathématiciens qui voulaient changer la façon d'enseigner les maths. Je sèche encore, pour enfin me faire questionner sur l'histoire de Marie de Médicis, Catherine de Médicis, Anne d'Autriche et Marie-Thérèse d'Autriche. Je mélange tout, c'est la catastrophe. La veille de l'annonce des résultats, un jour d'octobre 1981, je reste avachi sur le canapé, chez mes parents, à regarder la télévision toute la journée. Ma mère essaie de me réconforter, m'expliquant que ce n'est qu'un galop d'essai, que si j'échoue, ce n'est pas grave, et que si malgré tout je réussis, ce sera un cadeau. Le lendemain à la première heure, je consulte la liste affichée à la porte de l'École. Là, à la 57e place sur 120, mon nom. J'ai le cadeau.

Je baigne dans une douce euphorie. Plus de cours à réviser, plus de soucis pour la vie professionnelle. Je vais acheter ma robe de magistrat à la Belle Jardinière, puis l'essaie devant le grand miroir trônant au-dessus de la cheminée chez mes parents. Impression curieuse : comme un costume trop grand. C'est alors le départ pour l'École nationale de la magistrature de Bordeaux, en janvier 1982. Me voilà devenu « auditeur de justice », l'un des futurs magistrats de la République. Payé 5 000 francs par mois, je loge, comme la plupart de mes collègues, dans un foyer situé à Talence, à quelques kilomètres de l'École. Si l'on travaille peu, la journée est quand même consacrée aux cours, tandis que le soir est réservé à la fête. Football, spectacles, balades, sans compter les innombrables soirées passées à une dizaine, dans la chambre de l'un ou de l'autre, pour discuter, refaire le monde et s'amuser. C'est dans cette période enivrante que je fais la connaissance d'une élève de ma promotion, Hélène, une jolie brune un peu austère qui deviendra ma femme.

Les quatre premiers mois de ce régime passent vite. Puis la promotion se disperse. Chaque auditeur est envoyé en stage dans un tribunal, où il va successivement être affecté à tous les postes. Instruction, enfants, affaires civiles, parquet. À intervalles réguliers, tout le monde retrouve les bancs de l'école, pour quelques semaines, avant de repartir vers son stage. Pour moi, en ce joli mois de mai 1982, ce sera Caen. Je vais beaucoup apprendre, auprès de magistrats d'une grande qualité, qui me donneront une première vision déformée du monde judiciaire. Tous les magistrats ne sont pas aussi intelligents et compétents que ceux qui seront mes maîtres de stage.

À Caen, je rencontre entre autres le juge Renaud Van Ruymbeke, qui traite déjà les dossiers financiers. Trop spécialisé pour un jeune juge en formation, qui doit se frotter à tous les sujets et devenir avant tout un bon généraliste, je ne ferai qu'un bref passage par son cabinet. Suffisant toutefois pour découvrir un mode de fonctionnement particulier, très peu d'interrogatoires, beaucoup d'étude de dossiers. Il m'a quand même appris les quelques ficelles des dossiers financiers, qui requièrent quelques attentions particulières et plus d'investissement personnel qu'un dossier de droit commun. J'en vérifierai par la suite le bien-fondé. Il m'a également inculqué la rigueur nécessaire, les initiatives indispensables, comme certaines perquisitions. Je l'ai accompagné un matin pour l'une de ces opérations, alors qu'il travaillait sur une histoire compliquée de vente de forêt. Un PDG avait acquis la moitié du domaine, sa société avait acheté l'autre moitié, et curieusement, la valeur du terrain appartenant au PDG s'était envolée tandis que la partie appartenant à l'entreprise ne valait plus rien. Van Ruymbeke soupçonnait la banque du PDG d'être à l'origine d'un abus de biens sociaux et avait donc décidé de se rendre dans les locaux parisiens de ladite banque. Nous voilà partis, un lundi matin, pour le quartier de l'Opéra à Paris, avec les policiers. Je me souviens de la terreur rentrée qui se lisait sur les visages des employés et des responsables de la banque. À l'époque, personne n'avait l'habitude de voir un juge débouler dans une société, s'installer dans un bureau pour rédiger un procès-verbal avec sa greffière en exigeant qu'on lui présente les documents qu'il demande. Ce sentiment de terreur inspiré par la seule présence du juge m'a beaucoup marqué, en me montrant à la fois que le juge a le pouvoir d'inquiéter, ce qui peut parfois être nécessaire pour faire avancer une enquête, mais aussi combien il fait peur. Et ça, je ne suis pas sûr qu'il faille en être fier.

Avec Van Ruymbeke, je vais également toucher du doigt les limites du juge. Dans l'un de ses dossiers, concernant d'éventuelles malversations aux dépens d'un casino, il avait mis en cause une ressortissante japonaise. Son enquête terminée, il avait transmis le dossier, conformément à la procédure, au parquet afin que celui-ci rédige le réquisitoire définitif, ultime étape avant la clôture du dossier et le renvoi devant le tribunal. Aujourd'hui, un nouveau texte précise que si le procureur ne rend pas ses réquisitions dans les trois mois, le juge peut le faire lui-même. Mais à l'époque, cette phase était incontournable, et tant que le parquet ne faisait pas sa part du travail, le dossier restait bloqué. Résultat, dans l'affaire de la Japonaise, le temps passait et le juge ne voyait rien venir. Jusqu'au jour où l'un des substituts du procureur a expliqué à Van Ruymbeke que des hommes d'affaires japonais étaient allés voir des gens à Matignon, chez le Premier ministre, pour expliquer que si cette dame continuait à être importunée, ils renonceraient à un important investissement en France pour créer une usine. Je m'étais alors demandé, sans pouvoir me déterminer, si cela valait la peine de priver de plusieurs centaines d'emplois une région de France très éprouvée par le chômage.

Cette question recouvre l'une des raisons pour lesquelles j'ai opté pour l'instruction. Pour reprendre la phrase de Goethe sur l'injustice et le désordre, le juge d'instruction préférera toujours un désordre à une injustice. Le parquet, pas. Sa hantise, c'est le désordre. Le parquet est là pour faire régner l'ordre public, le juge d'instruction pour rechercher la vérité. Je n'ai pas tant vieilli : je pense toujours qu'un désordre vaut mieux qu'une injustice.

L'auditeur de justice ne se pose pas toutes ces questions. Lorsque le stagiaire arrive au tribunal, il prend la place du juge titulaire, qui se met un peu en retrait et veille sur le débutant. Lequel fait tout, interrogatoires, jugements, réquisitions. Les premières fois qu'un « monsieur le juge » vous est destiné, on a un peu la grosse tête. Cela ne dure heureusement pas. Car cette façon de procéder, par immersion totale dans le monde judiciaire, permet de se mettre vite dans la peau d'un juge. On ne se demande plus pourquoi on est là, on y est, on fait le travail pour lequel on est préparé. En une année et demie, on devient suffisamment juge dans sa tête pour l'être efficacement dans ses actes. Quand le stage se termine, on est impatient de voler de ses propres ailes. L'École est très critiquée, on lui reproche de mal apprendre le travail, de ne pas « élever le débat », d'être trop scolaire. Mais le fait est qu'elle remplit son rôle : on en sort juge.

Et on en retient quelques préceptes importants, comme de se méfier du témoignage humain. Illustration : on nous enferme à dix dans une salle pour visionner une petite séquence vidéo. On y voit deux voitures s'arrêter sur un pont, des hommes en sortir, quelque chose se passe, les individus remontent dans les voitures qui repartent. Lorsque la lumière se rallume dans la salle, on constate avec un certain effarement que personne ne donne la même version de la scène. L'une des voitures est bleue, l'autre noire, ou grise. Ou c'est l'inverse. Les hommes sont quatre, cinq ou six, ont des manteaux, non, des blousons, l'un a un chapeau, ou une casquette. Alors que nous savons pourquoi nous regardons la séquence, qu'*a priori* nous sommes des témoins avertis, nos versions divergent. Raison pour laquelle si, dans une affaire de braquage, je ne dispose que d'un seul et unique témoin qui me dit, celui-là, je le reconnais, je délivre un non-lieu. Il faut être très vigilant face à l'élément humain. Même si parfois un homme seul peut porter une vérité.

Arrive décembre 1983, fin de la scolarité. Les postes vacants sont proposés aux auditeurs en fonction de leur rang de sortie. Le premier choisit parmi les 120 possibilités, le dernier prend celle que les autres ont laissée. Enfin, en théorie. Car les nouveaux magistrats ont aussi le sens de la justice pour eux-mêmes, et se rendent bien compte que certaines affectations, notamment pour les collègues mariés et avec enfants qui se retrouvent à l'autre bout de la France, peuvent entraîner de vraies difficultés. En fait, chaque promu signe une convention dans laquelle il s'engage à ne pas tenir compte de son rang de sortie et à prendre le poste qui lui sera donné par la commission des auditeurs élus parmi l'ensemble de la promotion. Cette commission entend chacun des sortants, demande à chacun son souhait, entend ses raisons particulières éventuelles, avant de rendre sa décision.

Ce qui m'importe, à ce moment-là, c'est de ne pas m'éloigner d'Hélène, ma compagne et future épouse. Au point que je suis prêt à renoncer à un poste de juge d'instruction, auquel pourtant je tiens beaucoup. Comme quatorze de ces postes seulement sont proposés, je demande simplement une fonction pénale, le plus près possible d'Hélène. Encore une fois, j'ai de la chance. Hélène est nommée à Saint-Omer, j'ai un poste d'instruction à Douai. Le Nord ! Comme le juge Pascal…

2.
Le quart-monde

M'y voici.
Jules Vallès, *L'Insurgé.*

Juste vingt-quatre ans : lorsque j'arrive à Douai en janvier 1984, je suis le plus jeune juge d'instruction de France. Mon premier contact avec le département, c'est cette pancarte, plantée sur le bord de l'autoroute, qui proclame : « Le Nord, terre d'accueil et de travail. » C'est vrai. Je vais découvrir la solidarité, le sens du contact, de l'entraide, si particulier à la région. Avant de me présenter au président du tribunal et au procureur, je fais un rapide tour de la ville, fier de réaliser que tous ces gens que je croise dans la rue dépendent désormais de moi s'ils font une bêtise. J'étais vraiment jeune.

Le président est un homme âgé, imposant, dont j'apprendrai plus tard à découvrir l'humanisme et le sens de la fête. Pour l'heure, il est surtout préoccupé de savoir si je vais résider à Douai. Il existe en effet une « obligation de résidence » qui contraint le juge à habiter dans le ressort de son tribunal. Je lui explique que, ma compagne étant nommée à Saint-Omer, nous comptons nous installer à Lille. Cela semble le tracasser. Le procureur règle le problème d'un coup de fil au président. Je pourrais habiter à Lille. Les deux hommes sont quand même satisfaits de voir un nouveau juge qui va résider dans la région, quand tant d'autres se contentent de venir à leurs audiences par le train du matin, de rendre leurs jugements et de repartir pour Paris par celui du soir.

Le tribunal de Douai est à la bonne mesure pour un débutant. Les tribunaux sont classés par taille, de Paris, le plus grand, aux nombreux tribunaux de province qui ne comptent qu'une chambre et un seul juge d'instruction. Douai, doté de deux chambres et de deux postes d'instruction, est un peu plus important, donc plus intéressant au plan professionnel, tout en restant à une taille « humaine ». Mon premier collègue, Régis Verhaeghe, a le temps de m'apprendre le nécessaire détachement vis-à-vis du travail et de l'administration de la justice. Et qu'aimer son métier, et non la carrière, n'empêche pas de vivre pour autre chose. Ce passionné de pêche vient par exemple le week-end à son bureau lorsque l'urgence de la tâche le rappelle. Il débarque en cuissardes vertes, le chapeau sur la tête, mal rasé, le temps d'inculper un suspect avant de repartir au bord de l'eau. Excellent technicien, il m'apprend à bien utiliser le Code de procédure pénale, notamment pour se sortir d'une difficulté. Comme la fois où je me retrouve face à des jeunes gens accusés d'avoir commis un braquage en Belgique. Ils ont été arrêtés à la frontière, côté français. Je les inculpe et les mets en détention, avant de me rendre compte, le lendemain, qu'il s'agit d'Algériens et de Marocains, et qu'il est impossible d'inculper des étrangers pour des faits commis à l'étranger. Je vais frapper à la porte de mon collègue, pour lui expliquer mon erreur, commise d'ailleurs avant moi par le parquet qui m'a déferré ces gens. Après un court moment de réflexion et consultation du Code, il a trouvé la solution. Faute de pouvoir poursuivre le vol, je les ai inculpés de recel en France.

Après quelques mois seulement de cohabitation, cet homme très humain, très bon, part pour un autre poste, dans le sud de la France. Je me retrouve seul. Les permanences du week-end, assurées à tour de rôle lorsque l'on est deux, deviennent systématiques. Pendant plus de trois mois, je suis astreint à ce régime, coincé à mon domicile, près du téléphone, car à l'époque les portables n'existent pas. Le seul week-end pour lequel un de mes collègues, juge du siège, accepte de me remplacer est celui de mon mariage avec Hélène, le 7 juillet 1984.

Arrive enfin le remplaçant de Verhaeghe, tout juste sorti de l'école. Il s'appelle Éric Bedos, est aussi blond que je suis brun, intelligent et drôle, amateur comme moi de sport et de cinéma. Très vite, nous mettrons en commun notre « inexpérience » pour progresser ensemble. À son contact, je renforcerai en moi les exigences de rigueur, de droiture et d'indépendance. Il est devenu et demeure aujourd'hui l'un de mes rares amis magistrats.

En arrivant à Douai, je trouve dans mon cabinet environ 120 dossiers en cours d'instruction par mon prédécesseur. J'applique ce que j'ai appris à l'école. À savoir, ne pas commettre l'erreur de lire les dossiers dans l'ordre chronologique, mais commencer par les dossiers comportant des personnes détenues, dans lesquels il faut en général faire des actes rapidement. Dans ces dossiers « détenus », les plus urgents sont les dossiers correctionnels, et non les dossiers criminels. Toutes choses que je mets en pratique durant les six premières semaines que je passe à lire l'ensemble des dossiers en cours, en plus de ceux dont je vais hériter personnellement, en moyenne une dizaine par mois.

Il faut savoir qu'un juge d'instruction n'a jamais un seul dossier en cours, contrairement à ce que certaines affaires médiatiques pourraient laisser croire. Mais une bonne centaine, voire plus. Au moment où j'écris ce livre, j'en ai plus de 140. Le but du travail, si l'on ne veut pas être enseveli par cette marée de papier, est de sortir chaque mois autant d'affaires qu'il en rentre, donc de traiter tous les dossiers en simultané. L'une des façons de le mesurer, c'est la rédaction, chaque trimestre, de ce qui s'appelle une « notice », destinée à la hiérarchie, document récapitulant le nombre de dossiers ouverts, le nombre de dossiers clôturés, etc. La hiérarchie est d'ailleurs essentiellement intéressée par ces données statistiques, bien plus que par le fond des dossiers.

Cette attitude n'est pas sans conséquence. Il arrive qu'un dossier en fin d'instruction, pour lequel on pourrait ordonner un acte supplémentaire ou une ultime vérification, soit clôturé un peu hâtivement, afin de respecter ce subtil équilibre et pour ne pas se faire rappeler à l'ordre par la chambre d'accusation. Si l'on considère que le seul but du juge d'instruction est la recherche de la vérité, cela est proprement délirant. Combien de dossiers, en particulier ceux ouverts « contre X », sans auteur connu, ont été victimes de cette tyrannie de la statistique et sont passés aux oubliettes ? J'ai en mémoire le cas d'une jeune femme inconnue, dont on avait retrouvé le corps en plusieurs morceaux sur une voie ferrée. Le seul élément découvert en sa possession était un billet de train Lyon-Paris.

Les premières investigations des policiers locaux n'avaient pas permis d'identifier la victime. Le dossier était sur mon bureau depuis deux mois. J'avais hésité, me disant que l'on ne trouverait sans doute jamais qui était cette fille. J'aurais pu à ce moment-là faire comme d'autres, boucler l'affaire. Et puis je m'étais dit que non, qu'il y avait quelque part dans le pays des parents qui étaient sans nouvelles de leur fille. J'avais donc délivré une nouvelle commission rogatoire, aux policiers de la région lyonnaise cette fois. Et nous avons réussi grâce à un coupon de carte orange, et en passant en revue toutes les recherches dans l'intérêt des familles, à identifier une jeune fugueuse. On a pu mettre un nom sur sa tombe. Oh, cela n'avait rien d'héroïque. Policiers et juge avions seulement fait notre travail jusqu'au bout.

C'est aussi à Douai que je découvre les préoccupations majeures des collègues. Elles tournent autour du nombre de dossiers de chacun, des horaires des trains pour Paris qui fixent la fin des audiences, afin de permettre à certains de rentrer chez eux. Les gens du parquet pensent à écluser leur courrier, la pile à gauche du bureau le matin devant impérativement être à droite le soir. Tout tourne autour de la forme, jamais on ne s'occupe du fond. Aucun échange sur notre légitimité, sur notre métier, sur nos pratiques. Pas d'interrogation collective sur le fait que nous entrons de plain-pied dans la vie des gens. Après tout, de quel droit sommes-nous destinataires des confidences, des problèmes, des soucis, des drames de nos concitoyens ? Nous n'en parlons pourtant jamais entre nous.

À Douai, chose un peu particulière, la cantine est commune au tribunal et à la cour d'appel. C'est un lieu de rencontre, presque le seul. Les juges travaillent essentiellement dans leurs bureaux. Ils arrivent le matin, s'enferment avec leurs dossiers jusqu'à midi, recommencent après le déjeuner. Finalement, le seul endroit où l'on entrevoit ses collègues, c'est la cantine. S'y croisent à la fois les présidents de la chambre d'accusation, les conseillers, les juges. On pourrait en profiter pour parler du métier, au lieu de ces éternels bavardages « domestiques », ces conversations de fonctionnaires intéressés par la marche de la boutique, bien loin d'échanges humanistes. Je suis déçu de le constater.

Il y a aussi ce que l'on appelle la « troisième chambre », le café d'en face. Je le fréquente régulièrement, toujours étonné du nombre de bières que peuvent avaler mes collègues nordistes, six ou sept demis bien tassés à la suite, quand moi, après le second verre, je cale. Le bistrot est un site privilégié pour prendre le pouls d'une population. On y croise des gens perdus, à la dérive. C'est dans le Nord que je découvre le quart-monde. Je suis frappé un jour, alors que je fais une reconstitution dans une de ces petites maisons sombres, de voir, dans la salle de bains, la baignoire remplie à ras bord de charbon : personne ne s'y lave. La quasi-totalité des gens que je trouve en face de moi dans mon bureau sont au chômage depuis des années, sans aucune formation, bien imbibés. Certains sont impliqués dans des meurtres sordides, comme ces trois clochards vivant dans une décharge et qui un beau soir massacrent un de leurs copains, le lardant de coups de couteau avant de lui sectionner les testicules et de les balancer dans la nature, ou ces deux mineurs de quinze et seize ans, qui sans raison jettent un S.D.F. dans un puits.

Il m'arrive aussi de siéger en audience correctionnelle en tant que juge unique pour les délits de conduite sous l'emprise de l'alcool. Je vois arriver des femmes, contrôlées à dix heures du matin avec des taux faramineux d'alcool dans le sang. Certaines conduisent avec plus de quatre grammes, une dose suffisante pour expédier une personne ordinaire dans un coma éthylique.

Quand je demande parfois, au détour d'un interrogatoire, à un délinquant ce qu'il compte faire plus tard, sous-entendu une fois qu'il sera débarrassé de ses problèmes judiciaires, il ne le sait pas. À part marmonner sans y croire « travailler », il n'a aucune idée de son avenir. Un aveu décourageant pour un juge. Je me vois mal expliquer à un voleur qu'il ferait mieux d'arrêter et de se consacrer à son travail et à sa famille, quand il ne possède ni l'un ni l'autre. Tant que ces gens n'auront pas d'autres perspectives, comment espérer qu'ils puissent envisager de renoncer à la délinquance ? Il faut bien vivre.

Le Nord, c'est aussi cette réalité de l'époque, avec beaucoup de monde dans les rues et dans les cafés, et très peu de gens au boulot. À Douai, siège des Houillères du Nord, les mines ferment, les entreprises licencient, les gens se retrouvent sur le carreau. Plus personne ne semble vouloir les prendre en charge. Le juge devient alors le dernier recours, celui devant lequel échouent tous ces laissés-pour-compte pour cause de faillite des institutions, alors qu'il n'est pas formé pour cela. Il lui faut trouver des foyers, des placements, des aides. Comment être insensible aux problèmes sociaux lorsque l'on a été en poste dans le Nord durant cette période du milieu des années 80 ?

Quelques-uns des 350 dossiers que j'ai instruits durant mes trois années à Douai me restent donc en mémoire. Ils méritent à mon sens une attention particulière, dans la mesure où chacune de ces affaires soulève des questions générales relatives à l'exercice de la justice. À commencer par le fonctionnement des cours d'assises.

J'ai ainsi traité le dossier d'un boulanger, installé dans un petit village du Nord, qui avait étranglé sa femme un soir de colère. Cet homme ne supportait plus les crises de nerfs de son épouse chaque fois qu'il allumait la télévision. Durant des mois, il s'était contenu, tolérant tant bien que mal les cris et les pleurs, jusqu'au soir fatidique où la femme en rage avait jeté à terre le poste de télévision, le brisant net. Le boulanger s'était alors approché d'elle et l'avait étranglée. Les faits étaient établis, la culpabilité de l'individu parfaitement reconnue, je l'ai donc mis en détention. Mais tout son village a signé une pétition pour sa libération, tant et si bien qu'au bout de plusieurs mois il a été libéré. Quelques jours avant le procès, son avocat est venu me voir en me prédisant un acquittement. Ce qu'il a obtenu. Le même avocat est ensuite revenu dans mon bureau, pour m'expliquer que s'il avait pu obtenir ce résultat, c'était parce que son client était boulanger. Et seulement pour cela. Un boucher ou un charcutier aurait à coup sûr écopé d'une peine de prison ferme pour les mêmes faits.

Quelques mois plus tard, je siège à la cour d'assises de Saint-Omer qui doit juger un boucher, justement. L'homme, qui travaillait dans une grande surface, avait tué sa compagne parce qu'elle l'avait trompé. Le crime passionnel par excellence, avec toutes les circonstances atténuantes imaginables. Les jurés ne l'ont pas entendu ainsi. Pour eux, cet assassinat ne pouvait être comparé aux deux précédentes affaires de la session, un viol et un vol avec arme. Au point que durant le délibéré, avec mes deux autres collègues magistrats professionnels, nous avons véritablement argumenté pendant plusieurs heures pour les convaincre d'accorder les circonstances atténuantes. Sans cela, l'accusé aurait pris de façon automatique la peine maximale, en l'espèce la perpétuité. Après beaucoup d'efforts, nous avons réussi à faire fléchir les jurés. Le boucher n'a pris « que » dix-huit ans. Pour des faits similaires, un boulanger est acquitté quand un boucher se voit infliger dix-huit années de réclusion... Voilà entre autres pourquoi je suis définitivement pour la suppression des jurys populaires. Je pourrais citer bien d'autres cas tout aussi révélateurs de ces dysfonctionnements graves et inquiétants. Ainsi, quelques années plus tard. Pendant un délibéré, les choses se passent toujours de la même façon. Il y a d'abord un tour de table, durant lequel chacun des jurés s'exprime. Ce qui permet en général de constater que le premier qui parle a toujours raison. Puis vient un premier vote sur la culpabilité du ou des accusés, au moyen d'un bulletin sur lequel chaque juré inscrit « oui » ou « non ». Si le oui l'emporte, le président procède alors à un deuxième scrutin, concernant cette fois la peine à infliger. Les jurés doivent cette fois inscrire un chiffre, correspondant à un nombre d'années de prison. Ces votes se succèdent jusqu'à ce qu'une majorité de 7 voix au moins se dégage sur une peine. Ce jour-là, au milieu des bulletins marqués « 15 », « 14 » et « 12 », une main anonyme avait écrit « oui ». L'un des jurés n'avait manifestement rien compris à ce qu'avait expliqué le président. Il n'avait sans doute pas plus compris ce qui s'était passé pendant tout le procès. Mettre la vie de quelqu'un entre les mains de gens qui ne comprennent pas toujours ce qui se passe, cela me paraît extrêmement dangereux.

L'un de mes dossiers nordistes m'a également fait toucher du doigt la justice à deux vitesses. Une jeune femme enceinte, hospitalisée pour une opération chirurgicale, décède durant l'anesthésie. Saisi de l'affaire, je découvre que la médecin anesthésiste était absente, occupée à d'autres tâches, et qu'elle n'avait pas jugé utile de se déplacer jusqu'au bloc opératoire. Un infirmier, censé obtenir deux années plus tard son diplôme d'infirmier anesthésiste, avait été chargé d'endormir la patiente, et avait commis une erreur terrible lors de l'intubation, plaçant la canule non pas dans la trachée, mais dans l'œsophage de la femme, entraînant la mort sur le coup. J'ai donc inculpé le chirurgien qui avait accepté d'opérer sans anesthésiste qualifié à ses côtés, la médecin anesthésiste qui se trouvait être par ailleurs la maîtresse d'un avocat général, et l'infirmier responsable du geste fatal. Lors de l'audience correctionnelle, au moment d'examiner le cas du chirurgien, le président a dit devant l'assistance étonnée : « Monsieur, je ne vais pas vous faire l'injure de lire les renseignements qui vous concernent, ils sont sûrement très bons. » Alors que c'est la règle pour tout prévenu. Il a été condamné à 5 000 francs d'amende… avec sursis : le prix d'une vie.

D'autres vies, encore : j'ai instruit à Douai quelques belles affaires criminelles. Ainsi, un jour, l'adjoint au maire d'un petit village est retrouvé mort dans son lit. Ce village était une sorte de petite Corse du Nord, muré dans le silence le plus total, tandis que l'une de ses rues était presque entièrement peuplée par la même famille. Le médecin, au moment de délivrer le permis d'inhumer, est intrigué par un mince filet de sang qui coule de l'oreille du cadavre. En cherchant bien, le toubib décèle également une trace suspecte dans l'œil. À l'autopsie, on découvrira que l'homme a été tué par balle. Le projectile de petit calibre, entré par l'oreille et ressorti par l'œil, a été tiré par un revolver espagnol modèle 1892, assez rare.

Très vite, j'apprends que l'ami de l'une des sœurs de l'adjoint assassiné est un policier, inspecteur divisionnaire au commissariat de Douai. Un homme que je rencontre environ une fois par semaine pour les besoins des enquêtes en cours, et à qui il est arrivé une drôle d'histoire. Un an jour pour jour avant la mort de l'adjoint, la femme de cet inspecteur s'était volatilisée. Sa voiture, ouverte, avait été retrouvée à la gare de Béthune. D'elle, plus aucune trace. Les soupçons s'étaient portés sur le mari policier, d'autant que, certains soirs d'ivresse, l'homme aurait confié à d'autres piliers de bar avoir emmuré sa femme dans un immeuble en construction vers Avesnes-sur-Helpe. Mais faute de preuve, l'affaire avait été classée.

Petit à petit, les gendarmes qui enquêtent sur la mort de l'adjoint au maire en viennent à soupçonner le policier. Ils établissent ainsi qu'un revolver espagnol modèle 1892 a été un temps la propriété de la famille de l'inspecteur, ce que ce dernier contestera d'ailleurs. Plus tard, je vais dessaisir les gendarmes au profit du service régional de Police judiciaire de Lille, qui va travailler énormément sur ce dossier. Je ferai placer l'inspecteur en garde à vue. Sans résultat. Cette affaire inachevée continue de me hanter, des années après.

Un premier mot ici de la chambre d'accusation et de ses pratiques. Lorsque j'arrive à Douai, j'hérite d'un dossier pratiquement bouclé par mon prédécesseur, qui traite de l'enlèvement d'un petit garçon dans une école et de son assassinat. L'affaire fera du bruit dans le département, notamment en raison de la personnalité de l'auteur de ces faits particulièrement horribles, récidiviste, condamné pour d'autres faits graves quelques années plus tôt. Lorsque je reprends le dossier, je découvre une grosse faute dans la procédure. L'expert qui avait fait l'autopsie sur laquelle reposait une bonne part de l'accusation, en établissant notamment des sévices sexuels, n'était pas inscrit sur la liste des experts agréés par la cour d'appel. Dans ce cas, le juge doit motiver par écrit le fait qu'il ait désigné cet expert, ce qui n'avait pas été fait. J'ai eu un cas de conscience, me demandant s'il fallait que je soulève la nullité, au risque de devoir remettre l'individu en liberté. Je suis donc allé voir le président de la chambre d'accusation, qui dans un premier temps m'a expliqué que c'était dramatique, mais qu'il ne voyait pas comment éviter la saisine de la chambre d'accusation. Avant de revenir me voir le lendemain, pour me dissuader de le saisir sur la nullité. Cela démontre que, selon les cas, les chambres d'accusation ont des raisonnements tantôt très juridiques, tantôt très pragmatiques.

Ce qui ne les empêche pas de se tromper quand elles veulent donner des leçons aux juges. J'ai eu à traiter l'histoire d'un homme soupçonné de viol sur le petit garçon de sa femme. L'accusation reposait essentiellement sur le témoignage de la femme, et j'avais estimé, à la fin de mon instruction, que cela ne tenait pas debout. J'avais donc remis l'homme en liberté. Le parquet avait fait appel, la chambre d'accusation avait ordonné un supplément d'information et m'avait demandé de remettre le suspect en détention, ce que j'avais fait. Cet homme a passé plusieurs mois en prison, le temps de nouvelles expertises, pour qu'enfin la chambre décide à son tour, au vu du dossier, de délivrer un non-lieu. Mais les mois de prison, eux, ont bien eu lieu…

Durant mon passage à Douai, le milieu judiciaire a beaucoup commenté une affaire sensible. Le coiffeur du maire et Premier ministre de l'époque Pierre Mauroy était soupçonné d'être impliqué dans une histoire de recel. En fait, il s'agissait d'une très grosse affaire. Les investigations entreprises avaient montré qu'il existait à Lille de nombreux réseaux, y compris des connexions entre des truands et des notables. Du coup, tout le monde était très prudent. Et le juge qui instruisait le dossier avait eu un jour, en consultant les relevés d'écoutes téléphoniques placées sur la ligne du coiffeur, la surprise d'entendre un de ses collègues juge d'instruction, son voisin de bureau, raconter au coiffeur tout ce qu'il y avait dans le dossier et toutes les opérations à venir, perquisitions ou interpellations. J'avais trouvé cela incroyable. Maintenant, cela me semble moins étonnant, et en tout cas plus éclairant sur le comportement de certains juges. Face à des décisions de justice parfois incompréhensibles, nous savons qu'il ne faut pas forcément incriminer l'incompétence d'un magistrat, ou son juridisme exacerbé. Peut-être vaudrait-il mieux regarder de près les liens parfois trop étroits entre les magistrats et certaines personnes impliquées dans les dossiers. Quand il ne s'agit pas simplement de corruption...

Le Nord m'a fait aussi découvrir la pression de l'opinion. Il y avait une grande usine Renault, dans laquelle le syndicat CGT était très influent et très remuant. Régulièrement, j'étais saisi d'affaires de séquestrations, de vols, de violences à l'usine. Petit à petit s'était mis en branle un système de pression, avec des distributions de tracts à la sortie de l'usine, critiquant la façon dont j'instruisais ces dossiers, avec des courriers d'un avocat parisien de la CGT adressés à des journaux nationaux, s'interrogeant sur le fait qu'un petit juge de province en veuille à un syndicat. Il m'a fallu intégrer la façon dont certains actes de procédure étaient perçus pour modifier ma stratégie dans un dossier. Si, sur le fond, je n'ai jamais modifié mes objectifs, sur la forme, j'ai dû prendre plus de précautions, faire tel acte tel jour plutôt qu'un autre, modifier l'ordre dans lequel les actes allaient être accomplis. Ce genre de cas pose la question de l'influence que peut avoir l'opinion publique sur la façon dont on instruit certains dossiers. Quand des centaines de personnes hurlent des mots d'ordre sous ses fenêtres, consciemment ou inconsciemment, le comportement du juge peut s'en trouver modifié. Est-ce que, du coup, il n'y a pas une sorte de justice de luxe, pour les gens dont les affaires sont médiatisées, dans lesquelles le juge va faire très attention à toutes les conséquences de ses actes, et une justice du quotidien pour tous les autres cas, qui représentent 99 % de nos affaires ? Ne risquons-nous pas, croulant sous un trop grand nombre de dossiers, de nous attacher plus méticuleusement à certains cas, parce qu'ils risquent d'être plus commentés, quand tous les dossiers mériteraient d'être traités avec les mêmes précautions ? Pour ma part, j'ai toujours évité de céder à cette tentation. Pour les inculpés, les parties civiles, toute affaire est l'affaire de leur vie.

Il me reste encore de Douai quelques phrases glanées au hasard des circonstances. Lors du déjeuner annuel qui réunissait tous les magistrats de la ville et ceux de la cour d'appel, j'ai entendu l'un d'entre eux dire à son voisin de table : « Celui-là, quand je serai à quelques mois de la retraite, je me paierai le luxe de le faire mettre en garde à vue. » J'avais trouvé cela poignant, parce que révélateur de la dépendance et de la servilité dont avait dû faire preuve ce haut magistrat durant toute sa carrière. Je m'étais juré de ne jamais finir comme lui. Et puis il y a cette femme qui m'avait téléphoné de la gare, un soir, tard, parce qu'elle voulait un permis de visite pour aller voir son petit ami à la prison. Je lui avais expliqué comment faire pour venir de la gare au tribunal, puis, une fois dans mon bureau, je lui avais de nouveau expliqué la façon de procéder, comment se rendre à la prison. Lorsque j'en ai eu fini, elle s'est levée, m'a regardé droit dans les yeux et m'a dit : « Vous, vous êtes un drôle de juge. » Avec le recul, je me dis aujourd'hui que c'est sans doute le plus beau compliment que j'ai jamais reçu.

Après trois années à Douai, j'estime mon nécessaire apprentissage accompli, dans de bonnes conditions.

J'ai côtoyé beaucoup de gens, instruit un grand nombre d'affaires très variées. Appris ce qu'était vraiment un juge. Je suis prêt, à la fin de l'année 1986, à me rapprocher de Paris, vœu que partage mon épouse. Un peu de lassitude du Nord, l'envie de revoir plus souvent nos familles qui résident en région parisienne, tout nous pousse à remplir nos demandes pour changer d'affectation.

Dans la magistrature, ces changements obéissent à une procédure très particulière. En effet, un juge du siège est inamovible. Il ne peut bouger que sur sa demande ou avec son accord. Lorsque l'on veut quitter un tribunal, on remplit un formulaire en six exemplaires, sur lequel tous les tribunaux de France sont rangés par cour d'appel. Le jeu consiste à mettre des croix devant les tribunaux où l'on souhaite aller, en indiquant la fonction que l'on souhaite occuper, en faisant bien attention à ne pas cocher de mauvaises cases, à en cocher suffisamment pour démontrer que l'on a une réelle motivation de mobilité, mais pas trop pour ne pas risquer de se retrouver dans des endroits impossibles. On se raconte encore l'histoire de ce substitut marseillais qui menait des enquêtes embarrassantes pour la Chancellerie, et qui avait demandé un poste de procureur. Sans trop y prêter attention, il avait coché « Hazebrouck », et la Chancellerie s'est empressée de l'exaucer. Dépité, notre homme a refusé le poste, ce qui lui valut d'être suspendu plusieurs mois.

À la fin de l'exercice, le candidat doit enfin écrire, de sa main et six fois, la formule magique : « Je m'engage à rejoindre l'un quelconque des postes [on appréciera au passage la légèreté du style] que j'ai mentionnés dans la présente notice. »

Deux fois pas an, la Chancellerie publie ce que l'on appelle des transparences, c'est-à-dire la liste des nominations, ainsi que, pour chaque poste, les noms des candidats malheureux. Ce qui peut permettre à certains d'entamer des recours contre le nouveau titulaire du poste convoité, s'ils s'estiment plus compétents ou mieux placés. Une fois cette étape franchie, le Conseil de la magistrature se prononce et le président de la République signe le décret.

Lorsque la transparence de la fin 1986 sort, mon nom s'y trouve. Je suis, tout comme mon épouse, nommé à Chartres : des terrils à la cathédrale, des chicons [1] aux petits fours.

1. Nom donné aux endives dans le Nord.

3.
L'ennui

Si on allait à Chartres, c'était
pour des raisons précises.
Paul Vialar, *La Beauce*.

« Vous verrez, me dit Mme Petit, la présidente, au téléphone. Le tribunal est facile à trouver, à mi-chemin entre la prison et la cathédrale. C'est hautement symbolique. »

La Justice aime bien les symboles. À voir ce palais de justice, petit, coincé dans une rue où nul ne va jamais, j'aurais dû me méfier. Je ne garderai pas un très bon souvenir de mon passage à Chartres. De ce monde étriqué de province à la Chabrol, avec ses notables influents, ses bruits et rumeurs qui galopent, les repas au *Grand Monarque*, le grand restaurant de la ville, les dîners entre collègues une fois par mois, le samedi, où il faut venir en cravate pour ne pas se faire repérer, son cinéma toujours vide. Société repliée sur elle-même, figée, dont on se demande si un jour elle connaîtra la modernité.

Curieuse ville que cette préfecture de l'Eure-et-Loir, à la fois trop proche et trop éloignée de Paris. Trop proche pour qu'il y ait une vie autonome. Trop loin pour pouvoir aller passer une soirée dans la capitale et rentrer. Alors on reste là, on s'ennuie. Souvent, le samedi, sur le marché, je rencontre un avocat, un policier, un collègue, un mis en examen.

Le tribunal est ancien. Chose étonnante, au moins en matière de sécurité, les cabinets d'instruction sont situés au rez-de-chaussée, avec des portes-fenêtres ouvrant sur un petit jardin et sur la rue. Autant dire que si quelqu'un veut vraiment faire évader l'un de ses amis, il lui suffit de se garer dans la rue, de faire trois mètres et de braquer tout le monde par la fenêtre pendant une audition. Défile en fait dans les locaux une petite délinquance sans originalité, que s'efforce de poursuivre une police très fonctionnarisée. Au commissariat de Chartres, inutile de téléphoner avant 9 heures du matin, ni entre midi et deux, encore moins après 17 heures. Il n'y a personne en dehors des horaires de bureau. On ne peut pas dire que, du côté des enquêteurs, on sente vraiment la passion du métier.

Il est de tradition pour le juge arrivant dans un nouveau poste de rencontrer, outre évidemment le président du tribunal et le procureur, le bâtonnier, le commandant ou le colonel de gendarmerie, le commissaire de police, le maire, le préfet, voire le président du tribunal de commerce ou de la chambre de commerce. J'entame donc mes visites protocolaires et appelle le bâtonnier le jour de mon installation, en janvier 1987. L'avocat me reçoit l'après-midi. Après quelques considérations sur la ville, il me regarde dans les yeux et me dit : « Je ne suis pas pour les contacts extraprofessionnels entre juges et avocats. » L'homme, pourtant réputé pour son progressisme, traduisait jusqu'à la caricature ce que sont les rapports entre les juges et les avocats dans les petites villes de province. Un autre avocat me rend une petite visite, quelques jours après, pour me mettre en garde contre trois de ses confrères, qui seraient très antisémites. Moi qui ne suis ni pratiquant ni enclin à voir des antisémites partout, je me contente de vaguement acquiescer, pensant que mon interlocuteur exagère. Jusqu'au jour où, bien plus tard, l'un des trois compères désignés ira voir la présidente pour se plaindre de mon comportement et lui dire que je ne respecte pas les droits de la défense, propos qu'il répétera ensuite au conseil de l'Ordre. L'avocat qui m'avait averti quelques mois auparavant reviendra me voir pour me rappeler ses mises en garde. Et pour m'expliquer que l'incident imaginaire, invoqué par son confrère pour me vilipender, trouvait son origine dans l'antisémitisme de cet avocat.

Si je m'ennuie, à Chartres, ce n'est pas par manque de travail. Je trouve en arrivant dans mon cabinet 180 dossiers en cours, ce qui est énorme. Bien peu sortent de l'ordinaire. En revanche, c'est là que je vais devoir m'atteler à mon premier vrai dossier financier. L'affaire est à l'instruction depuis quatre ans lorsque je m'y plonge. Il s'agit d'une histoire très compliquée d'escroquerie, d'abus de confiance, de fraude, de détournement, de faux en écriture. Elle concerne un Algérien qui avait travaillé chez Iveco, un fabriquant de camions, qui en avait profité pour détourner des certificats des Mines. Ces papiers très officiels, sortes de « cartes d'identité » de tous les véhicules, lui avaient permis de vendre en son nom des camions qui ne lui appartenaient pas. Le préjudice est important, sans doute plusieurs dizaines de millions de francs. L'instigateur de ce trafic se dit très proche du gouvernement algérien de l'époque. Il est d'ailleurs défendu par un avocat algérien, qui malheureusement sera plus tard assassiné à Alger.

C'est en instruisant ce dossier, à force de le lire et de le relire pour essayer de comprendre, que je vais me former vraiment aux affaires financières. Si, plus tard, j'ai voulu instruire à Créteil des dossiers financiers, peut-être que cette histoire de camions n'y est pas pour rien. Toujours est-il que je parviens en deux années à boucler l'affaire, et à renvoyer le principal suspect devant le tribunal, qui le condamne. Il assignera ensuite la France devant la Cour européenne des droits de l'homme, estimant qu'en raison des six années qu'avait duré l'instruction, il n'avait pas été jugé dans un délai raisonnable. L'inculpé ne s'était pourtant pas gêné, durant toute la procédure, pour multiplier les demandes d'actes supplémentaires, d'expertises nouvelles, de contre-expertises, faisant appel en cas de refus. Il a donc lui-même grandement contribué à ralentir l'enquête. N'empêche, la Cour européenne condamnera la France pour lenteur excessive de l'instruction.

À Chartres, je me frotte également pour la première fois à certaines pratiques policières. Je les découvre au travers des propos de plusieurs inculpés différents, dans des dossiers qui n'ont rien à voir les uns avec les autres, mais qui tous disent la même chose. Selon eux, au commissariat de Dreux, les personnes placées en garde à vue sont attachées, nues, à un radiateur, frappées. L'un d'eux me parle même d'un simulacre de roulette russe, un policier lui ayant placé un revolver sur la tempe avant de tirer, à vide heureusement. Après concertation avec les deux autres juges d'instruction du tribunal, qui eux aussi ont eu à peu près les mêmes témoignages, nous décidons d'aller en parler au procureur. Il nous semble urgent d'agir, peut-être d'aller faire une inspection surprise ou d'alerter l'Inspection générale de la police nationale. Face à nous, le procureur se contentera de soupirer en disant : « Vous n'avez aucune preuve, que voulez-vous faire ? » Nous savions, nous n'avons rien fait. Ne sommes-nous pas complices de ces pratiques ? Je le pense. Mais que pouvions-nous faire ?

Dans le même ordre d'idées, les gendarmes m'amènent un soir d'hiver un marginal, pratiquement un clochard, ramassé sur un banc à Nogent-le-Rotrou. Les militaires étaient à la recherche d'un cambrioleur, auteur de plusieurs vols, et qui, surpris par une patrouille, avait fait feu sur des gendarmes avant de prendre la fuite. Pour eux, il n'y a aucun doute, c'est le clochard. Il a d'ailleurs été trouvé en possession d'une arme. Le capitaine de compagnie est là, en personne, pour déferrer le clochard. Cela ne se produit jamais, ces tâches ingrates et peu valorisantes étant généralement confiées aux simples pandores. Cette fois, l'officier veut visiblement montrer à ses hommes qu'ils peuvent compter sur la hiérarchie en cas d'agression, et qu'il prend cette affaire très à cœur.

Après avoir étudié le dossier, je fais venir le capitaine dans mon bureau. Pour lui expliquer que rien, dans ce que je viens de lire, ne me semble suffisant pour mettre en cause le clochard. L'officier me répond alors, d'un ton méprisant et péjoratif : « Vous avez des états d'âme, monsieur le juge ? » Malgré l'insistance du représentant du parquet, je ne place pas le marginal en détention. Quelques semaines plus tard, les expertises démontreront que la pétoire trouvée sur le clochard était hors d'état de fonctionner et qu'en aucun cas elle n'avait été utilisée contre les gendarmes, que les empreintes de pas relevées dans la neige ne correspondaient pas aux chaussures du bonhomme, lequel avait un alibi solide. J'ai appris, avec cette affaire, à me méfier des coupables désignés et à ne pas me contenter de l'opinion des autres.

Mais de toutes les affaires que je vais être amené à traiter à Chartres, c'est sans conteste celle du musée qui va le plus m'intéresser. Elle commence par de nombreux vols, dans le musée de la ville. Des armes anciennes, des pièces de collection ont disparu, sans que personne ne s'en aperçoive sur le moment. Lorque enfin le conservateur se rend compte du préjudice, il porte plainte et l'enquête aboutit assez rapidement à identifier le coupable présumé. Il s'agit d'un commissaire de police en poste au SRPJ de Versailles au moment des faits, muté depuis à Lille, où il sera arrêté.

La surprise, c'est qu'au fil des investigations je découvre que ce drôle de policier ne s'est pas contenté de piller le musée de Chartres. Il vole un peu partout, notamment des livres très rares, comme ce *Pigafetta*, récit des souvenirs du chevalier de Pigafetta qui avait accompagné Magellan dans ses voyages autour du monde. Il n'existe que quinze exemplaires au monde de cet ouvrage, dont trois appartenaient à des bibliothèques françaises. J'écris « appartenaient », car ces trois exemplaires ont été volés et sont passés par les mains de ce commissaire, avant d'être revendus très cher – l'un a été acheté pour plus de 100 000 dollars par la bibliothèque de l'université américaine de Yale.

Mon enquête fait également apparaître un autre personnage, commissaire-priseur, que j'inculpe de complicité. Il a en effet vendu aux enchères plusieurs objets volés par le policier, l'a accompagné à New York lors de la vente de l'un des livres. Puis, assailli par des doutes, je finis par lui accorder un non-lieu, décision que je regretterai plus tard. C'est sans conteste l'un de mes défauts que d'avoir le non-lieu trop facile. Mais je ne suis pas au bout de mes peines. En ville, la rumeur assure que la conservatrice du musée est forcément complice du commissaire. Un jour, me voilà convoqué dans le bureau de la présidente du tribunal. J'entre, et je tombe sur… le maire de la ville, venu se plaindre de moi en douce. Il ne se doutait pas que la présidente exigerait ma présence. Sans se démonter, l'élu se lance dans un long discours, sur un ton doucereux, pour m'expliquer combien cette affaire tracasse la municipalité, qu'il faut absolument que la conservatrice ne reste pas à son poste. Évidemment, il pourrait bien la licencier, mais elle risquerait alors de poursuivre cette décision en justice, avec toutes les chances de gagner. Non, vraiment, la meilleure solution, c'est de l'inculper. Il serait alors beaucoup plus facile de s'en débarrasser. Irrité par cette intervention, je n'inculpe pas la conservatrice. Peut-être à tort.

En travaillant sur ce dossier, je fais la connaissance d'un jeune commissaire de police du SRPJ de Versailles, qui traite l'affaire avec moi. Il est sympathique, intelligent, passionné de football comme moi. Nous déjeunerons ensemble à plusieurs reprises, nous découvrant par hasard des amis communs. Des années plus tard, c'est lui qui procédera à l'interpellation de mon beau-père, Jean-Pierre Maréchal.

Une dernière affaire me marquera lors de mon passage à Chartres. Une prostituée est retrouvée assassinée dans un bois, le long de la nationale. Les gendarmes chargés de l'enquête font des recherches systématiques sur les armes, en allant chez tous les armuriers. Ils épluchent les relevés bancaires de cette femme, puisque certains de ses clients la paient par chèque. Finalement, ils identifient et arrêtent un homme qui reconnaît les faits après quelques heures de garde à vue. Lorsque je l'inculpe et que je lui demande s'il veut ajouter quelque chose, l'homme se tourne vers moi en pleurant, répétant : « Il faut m'aider, il faut m'aider, c'est horrible ce que j'ai fait. » Le lendemain de son incarcération, il écrit une lettre à son fils, pour lui dire que cette « bêtise », il l'a faite pour lui. Et que c'est pour se venger de sa femme volage qu'il avait pris la décision de tuer la première prostituée venue.

Il reconnaît les faits devant les gendarmes et devant moi. Il l'écrit à son fils. Les cartouches retrouvées chez lui sont composées du même alliage que celles utilisées pour tuer la femme. Les traces de pneus relevées juste à côté du corps correspondent à la marque des pneus qui équipent sa voiture, avec le même taux d'usure. Un témoin assure que l'homme lui a confié être l'auteur du meurtre. Pourtant, après un mois et demi de détention provisoire, le coupable présumé change de version. Il proclame son innocence. Il sera acquitté par la cour d'assises.

On parle toujours des erreurs judiciaires à propos des innocents en prison ou inculpés à tort. En oubliant qu'il existe aussi, parmi ces erreurs, celles relatives à des coupables qui ne seront jamais condamnés.

Le séjour à Chartres touche à sa fin. Mon épouse est déjà partie, nommée à Paris en tant que juge d'application des peines. Nous avons pris un appartement dans la capitale, et je fais tous les jours l'aller-retour en train. Y compris les week-ends de permanence, lorsque les trains sont rares. Je ne compte plus le nombre de fois où j'ai raté le train de midi et demi, le dimanche, et où je me suis retrouvé à manger un sandwich au buffet de la gare en attendant le train de 15 heures... Après deux années et demie en Eure-et-Loir, mon nom apparaît enfin sur la fameuse « transparence ». Quinze jours avant sa parution officielle, la personne qui s'occupe des mutations de magistrats, à Paris, m'assure au téléphone que j'y figure bien, prévu pour Bobigny. Je prends donc contact avec le collègue que je vais remplacer, d'ailleurs déjà prévenu de mon arrivée, pour qu'il me parle un peu de ses dossiers. Démarche inutile. Car lorsque la transparence sort enfin, la donne a changé. Ce n'est plus Bobigny, mais Créteil. J'ignore ce qui a engendré ce changement de destination de dernière minute. Ce que je sais, en revanche, c'est qu'une vie peut se trouver entièrement transformée par un simple saut de ligne sur une feuille de papier.

4.
De l'autre côté du périph'

J'arrive à présent
au pays des élans nouveaux.
Henri Michaux,
Lieux sur une planète petite.

« Vous êtes resté trois ans à Douai, deux ans et demi seulement à Chartres. Tout ce que je peux souhaiter, c'est que vous demeuriez bien plus longtemps à Créteil. » Le président Boulard a le sourire aux lèvres en m'accueillant dans sa juridiction, ce 6 octobre 1989, lendemain de mes trente ans. Homme convivial, profondément humain, dont la bonhomie n'a d'égale que la gentillesse, c'est lui qui présidera plus tard la cour d'assises de Versailles lors du procès Touvier en 1994. Je regretterai de ne pas l'avoir fréquenté plus longtemps : de tous les présidents qui se sont succédé à Créteil, c'est celui qui m'a le plus impressionné par sa simplicité et sa compétence.

Son vœu en tout cas aura été exaucé bien au-delà de ses espérances. À l'heure où j'écris ces lignes, cela fait plus de douze ans que j'occupe la même pièce, au septième étage du tribunal de grande instance de Créteil. À gauche en sortant de l'ascenseur. Seul changement récent : j'ai obtenu l'année dernière que les murs de mon bureau soient repeints en bleu. Il paraît que cette couleur apaise.

Grosse boutique que ce tribunal, l'un des cinq plus importants de France. Sorti du néant et de la zone il y a un quart de siècle, le bâtiment en forme de grand navire est planté au milieu du Val-de-Marne comme s'il devait porter la Justice alentour. Ou l'attirer. Du bureau du président, au dernier étage, on bénéficie d'une vue impressionnante. Sur la ville, ses « choux », immeubles ronds construits dans les années 70 dont les appartements doivent être difficiles à meubler, son centre commercial, son lac artificiel où toute baignade est interdite. Sur le département, aussi, les immeubles en briques de Maisons-Alfort, les « grandes barres » de Vitry, les usines de traitement des déchets, les magasins pour pauvres des zones industrielles, les enchevêtrements de voies rapides et d'autoroutes. Sur Paris, même, au loin ; mais seulement par temps clair. Budgétairement, il existe douze postes de juges d'instruction, mais à part une période de quelques mois, nous n'avons jamais été au complet, nous retrouvant parfois à sept pour gérer les douze cabinets.

Créteil, pour moi, c'est le contact avec les banlieues, le trafic de drogue dans les cités, les violences urbaines. Avec des jeunes qui, pris individuellement, sont souvent sympathiques et intéressants, mais qui, dès qu'ils se mettent en bandes, deviennent insupportables. Au point que les policiers n'osent pas fréquenter certains secteurs. Un jour, lors d'un transport dans une cité pour vérifier les dires d'un inculpé, je demande au policier assis à côté de moi dans le fourgon de sortir vérifier la présence d'un nom sur une boîte aux lettres. J'ai tout de suite l'impression d'avoir lâché la pire ineptie : le policier fixe son collègue, puis moi. Enfin, il ose descendre du véhicule pour affronter seul les dangers de la cité. La peur se lit sur son visage.

Plusieurs implantations dans le Val-de-Marne font que le tribunal connaît une délinquance importante et variée. L'aéroport d'Orly, c'est l'importation en masse de cocaïne provenant d'Amérique du Sud, d'héroïne d'Asie ou de cannabis des Antilles. Avec ce malaise qui s'installe à force de mettre en prison les « mules », pauvres paysans colombiens forcés, pour faire vivre leurs familles, d'accepter de faire des transports de drogue, ou jeunes Guyanaises naïves d'à peine vingt ans à qui on promet de beaux voyages en Europe et qui se retrouvent privées de liberté pour plusieurs années. Alors que les cerveaux, ceux qui organisent le trafic international, ne sont jamais identifiés ni arrêtés.

Le Marché d'intérêt national de Rungis, les « halles » de Paris, apporte aussi son lot de magouilles financières qu'on subodore sans jamais parvenir à les percer, d'incendies criminels pour toucher les primes d'assurances. Il y a eu un moment à Rungis un commissariat de police permanent, censé justement lutter contre les dérives de toutes sortes sur le marché. Le ministère de l'Intérieur a fini par le supprimer, après s'être rendu compte que les policiers de Rungis étaient devenus beaucoup trop proches des commerçants du lieu. Si proches que plus aucune affaire ne sortait. Seuls quelques audacieux osent encore porter plainte, ne nous faisant découvrir que la partie émergée de l'iceberg des pratiques illicites. La plupart de ces faits, ententes, intimidations, mises à l'index, restent probablement impunis. D'autant que Rungis est sous la coupe de véritables clans. Italiens, Nord-Africains, Français de souche n'interfèrent jamais. Et dès que quelqu'un tente de s'implanter sur un secteur sans avoir la bonne « origine », il est aussitôt rejeté et mis en quarantaine.

À la maison d'arrêt de Fresnes aussi on sectorise, séparant par exemple les Marocains des Algériens : ils ne peuvent paraît-il pas se supporter. Là, ce sont des trafics en tous genres, des morts suspectes, des violences, des affaires de mœurs. Toute une vie parallèle qu'on ne peut qu'effleurer. Comme celle des hôpitaux du département, origine de nombreuses plaintes en responsabilité médicale que l'on parvient trop rarement à clarifier.

Dès mon arrivée, je comprends qu'il ne s'agit plus pour moi, comme à Chartres, de chercher comment meubler l'ennui. Mais de trouver le temps d'instruire de front plus de 140 dossiers difficiles. Comme sur un fil, en tentant d'éviter la grosse erreur.

C'est à Créteil que je vais percevoir, d'une manière imprévue mais très directe, le malaise qui règne dans la police. À cette époque, la presse fait état d'une série de suicides chez les fonctionnaires de police. Un jour, alors que je suis en pleine audition, la porte de mon bureau s'ouvre. La greffière du bureau d'à côté, en larmes, entre sans s'excuser et me demande de l'accompagner chez elle. La juge avec laquelle elle travaille n'a pas de voiture, et elle doit rentrer au plus vite. Je clos aussitôt l'audition, demande à la personne en face de moi de sortir et rejoins la greffière. Elle m'explique alors, entre deux sanglots, qu'elle vient de recevoir un coup de téléphone de son fils et qu'elle doit absolument rentrer. Elle est dans un tel état que je renonce à l'interroger plus avant. Nous partons. Ma voisine juge ainsi que ma propre greffière nous accompagnent.

Dans la voiture, je pose quand même quelques questions prudentes. Nous écoutons en silence un début d'explication. Le fils de la greffière vient de l'appeler. En rentrant de l'école, il a trouvé un mot de son papa, posé à côté du téléphone. Avec ces quelques lignes. « Je suis à la cave. Ne descends surtout pas. Appelle maman. »

Le couple habite dans une petite cité. Aussitôt arrivés, nous descendons dans les sous-sols. J'ouvre la marche, la juge me suit juste derrière. Elle a peur, me pousse presque pour que j'avance devant elle. Dans le couloir de la cave, qui est resté éclairé, gît le mari de la greffière. Le corps baigne dans le sang. Un pistolet est posé à côté. L'homme, policier, s'est tiré une balle dans la tête avec son arme de service.

Le directeur départemental de la police, qui est sur place quelques dizaines de minutes plus tard, s'inquiète de savoir si le policier s'était plaint de son sort auprès de l'administration. Il pense visiblement plus à éviter un scandale qu'à réconforter la femme du policier. Elle, en revanche, se montre d'une dignité exemplaire. Je n'ai jamais vu quelqu'un comme elle. Elle me racontera plus tard que, peu de temps avant de se supprimer, son mari lui avait offert une bague. Leur anniversaire de mariage étant prévu quelques semaines après, elle avait alors interprété ce geste comme une impatience de son époux à lui témoigner son attachement. En fait, il savait déjà qu'il allait mettre fin à ses jours.

Souvent, la réalité du quotidien d'un juge d'instruction dépasse la fiction. Elle explique mieux que tout discours pourquoi il n'est plus un homme ordinaire. Qu'il ne peut plus être celui qu'il était avant. Avant d'être juge. Avant de se trouver face à tant de choses horribles, de drames quotidiens, tout au long de sa carrière. La seule lecture d'un dossier peut parfois bouleverser durablement. Et ce, quels que soient les efforts pour se prémunir, se blinder.

Pour en témoigner, je vais simplement évoquer ici quelques-unes des affaires, des existences brisées que j'ai croisées à Créteil. Comme ce couple qui se dispute un jour dans un appartement, jusqu'au moment où la femme, à bout, crie au mari : « J'en ai marre, je m'en vais. » L'homme lui répond alors du tac au tac : « Si tu t'en vas, je jette les enfants par la fenêtre. » Incrédule, elle part. Pendant qu'elle descend par l'ascenseur, le mari attrape les deux petits enfants, et les balance l'un après l'autre depuis le balcon.

Autre histoire, autre couple, de personnes âgées cette fois. L'homme a environ soixante-quinze ans, la femme un peu moins. Elle a des problèmes de santé et reçoit tous les jours des soins à domicile. L'infirmière qui passe ce jour-là n'est pas la même que d'habitude. Elle n'est venue chez ce couple que deux ou trois fois, pour remplacer sa collègue. L'infirmière et la vieille dame vont dans la salle de bains, la porte se referme, le temps passe. Au bout d'une heure, le mari s'inquiète. Il n'entend plus aucun bruit. Il frappe discrètement, sans résultat. Après une autre tentative tout aussi infructueuse, il appelle les pompiers, qui enfoncent la porte. Et tombent en plein film d'horreur. La vieille dame a été décapitée. La tête repose à côté du corps, dans une mare de sang. L'infirmière, assise à califourchon sur le cadavre, est en train de se masturber avec une ventouse à déboucher les baignoires en affichant une espèce de sourire sardonique. Elle expliquera plus tard qu'elle avait tué le démon ; elle en était fort satisfaite.

L'infirmière a bénéficié d'un non-lieu pour démence avant d'être internée dans un service psychiatrique. Deux ans après, une femme d'un service hospitalier me téléphone pour me demander si l'on peut récupérer les affaires de ladite infirmière. Je m'enquiers de la raison de cette requête. « Voilà, répond la femme. Un médecin a examiné cette personne, il pense qu'elle est mûre pour sortir. »

Et que penser de cet homme ordinaire, ingénieur et père de famille, vivant dans un modeste pavillon ? Un beau jour, constatant que sa femme le trompe, il la tue, avant d'abattre ses propres enfants. Après quoi il sort promener le chien pour se forger un alibi. Plus tard, lorsque les policiers qui l'ont confondu l'emmènent, il s'arrête brusquement sur le pas de sa porte avant de monter dans la voiture banalisée. Il réfléchit, puis finit par s'écrier : « Attendez, il y a quelque chose qui ne va pas ! – Quoi donc ? – Je crois que j'ai laissé ma chaîne hi-fi allumée. »

Quant à ces parents attentionnés à la recherche d'une nounou pour leurs enfants, je ne peux retenir un frisson en les évoquant. Lui est chef d'entreprise, elle diplomate. Ils résident dans une ville cotée du Val-de-Marne. Après avoir passé une annonce, le couple reçoit des jeunes filles et retient celle qui semble la plus apte. Tout se passe normalement au début. Puis des doutes leur viennent. La nounou emploie de drôles de qualificatifs pour parler des enfants, traitant la fillette de « cochonne ». Elle ne sourit jamais. Les parents hésitent, mais décident de continuer à lui faire confiance. Un soir, en rentrant, ils trouvent leur maison en flammes. La nounou avait étranglé les enfants, avant d'arroser leurs corps de Destop et de mettre le feu.

Certains ont pu chercher, en particulier au moment de la sortie de *Bouillottes*, mon roman, pourquoi il y avait en moi un tel pessimisme. Ces drames ordinaires n'incitent guère à la béatitude.

À Créteil, je vais encore côtoyer l'erreur judiciaire, cette fois dans sa forme classique, celle de l'innocent condamné à tort. Un semi-clochard est accusé de viol par une mère de famille. La plaignante explique qu'en sortant de son ascenseur elle est tombée sur un homme qui l'a menacée d'un coupe-chou et l'a violée. Cet homme, elle ne l'a jamais vu, dit-elle, mais elle peut parfaitement décrire la façon dont il est habillé, et surtout, elle est sûre de pouvoir le reconnaître. Les enquêteurs lui présentent donc des photos de suspects. Sur l'un des clichés, elle désigne son agresseur. L'individu est interpellé. À son domicile, on retrouve des vêtements semblables à ceux décrits par la victime. Un pantalon de velours noir, une veste canadienne, dont il nie absolument être le propriétaire. Ces vêtements, dit-il, appartiennent à sa sœur.

Je l'interroge. L'homme est confus dans ses déclarations. Comme réticent. Face aux éléments du dossier, je le mets en examen et le place sous mandat de dépôt. Puis d'autres éléments sont portés à ma connaissance. La victime a déjà porté plainte pour viol, dans une autre affaire, quelque temps auparavant. Une expertise psychiatrique effectuée à l'époque estime que cette dame a des tendances à l'affabulation. Lors de la confrontation entre agresseur et victime présumés, dans mon bureau, j'ai le sentiment qu'elle ment. Je demande au suspect d'essayer les vêtements saisis à son domicile et correspondant à la description de la victime. Les manches de la canadienne lui arrivent à peine aux coudes, le pantalon ne dépasse pas le niveau du genou. Ce ne sont pas ses vêtements. Alors que la victime affirme que l'homme lui avait extorqué de l'argent pour acheter du vin rosé, le commerçant marocain où l'homme va habituellement s'approvisionner affirme qu'il ne prend jamais de vin, seulement de la bière.

Après quelques mois, j'ai de tels doutes que je le libère, avant de délivrer un non-lieu. Le parquet fait appel, la chambre d'accusation renvoie le suspect devant les assises. L'homme sera condamné. Depuis, il ne cesse de m'écrire, me disant : « Vous, vous savez très bien que je suis innocent, j'ai été mal défendu, aidez-moi, je ne sais pas quoi faire. » Malheureusement, je ne peux rien faire. Le juge d'instruction, que l'on dit homme le plus puissant de France, est impuissant face au système judiciaire. Même lorsqu'il est témoin de ce qu'il pense être une terrible erreur.

Après toutes ces années de pratique, ma vision de l'erreur judiciaire a sans doute évolué. Je suis persuadé aujourd'hui qu'une erreur, dans un sens ou un autre, repose toujours au départ sur le comportement du suspect. Aveux initiaux, rétractés plus tard. Mensonges. Maladresse. Pour moi, la victime de l'erreur judiciaire participe directement, par son attitude au début de l'affaire, à la création de cette erreur.

Un jour, la question se pose à Créteil de savoir qui va instruire les dossiers financiers, de plus en plus nombreux. Je me propose sans hésiter. Depuis l'affaire Iveco de Chartres, j'ai acquis une certaine expérience, un goût, aussi, pour les recherches bancaires, les heures d'étude en solitaire dans mon bureau, le soir. Surtout, j'apprécie la confrontation avec des hommes intelligents, qui ont du répondant et de bons avocats. Il y a une vraie stimulation à interroger et à tenter de confondre quelqu'un de brillant, qui vous voit venir et évite vos pièges.

Rien à voir avec le petit délinquant de droit commun qui reconnaît les faits et qui, après quelques questions un peu tordues ou malicieuses, serait même prêt à en reconnaître plus qu'il n'en a fait.

En 1991, j'hérite de ma première affaire financière d'importance, avec la liquidation de la société d'informatique Goupil. Cette entreprise a pourtant été largement soutenue par l'État et les finances publiques, même lorsque les difficultés s'amoncelaient, au motif qu'elle devait assurer la présence nationale dans ce secteur de pointe.

L'alerte est donnée par un rapport de la Commission des opérations de bourse, la COB, qui fait état de faux bons de commande pour gonfler artificiellement le chiffre d'affaires. C'est, selon la version officielle de l'histoire, le moyen qu'avait trouvé le PDG de l'entreprise pour tenter de faire de sa société la numéro un en Europe. La version officieuse est certainement plus proche d'un système de corruption avec des complicités chez certains clients, sociétés privées ou établissements publics. Mais je n'ai jamais pu l'établir.

Ce dossier m'a permis de faire quelques découvertes. Le fonctionnement du parquet, d'abord. Un substitut m'explique avoir reçu l'ordre du Parquet général, donc de la Chancellerie, de communiquer à l'Agence France-Presse l'ouverture d'une information visant nommément le PDG. Un hasard ? Cette façon de faire, cibler un homme et le désigner dans le réquisitoire, évite en tout cas au PDG, ami du pouvoir, de passer entre les mains des policiers et d'affronter les 48 heures de garde à vue.

Le fonctionnement des services d'élite de la police parisienne, aussi. J'ai écrit « policiers » au pluriel. Le singulier aurait suffi. Car l'intégralité de cette enquête, convocations, interrogatoires, réquisitions bancaires et exploitation de l'ensemble, est menée par un unique capitaine de police. C'est ce que me révèle mon premier contact avec la brigade financière de la Préfecture de police de Paris, rue du Château-des-Rentiers. Je vais certes trouver une façon de travailler très appréciable, avec des synthèses bien faites, des interrogatoires bien préparés. Mais en fait de « brigade », inutile d'imaginer une escouade d'inspecteurs prêts à fondre sur les dossiers. Compte tenu du nombre d'affaires et des effectifs, c'est bien souvent un seul homme qui mène les investigations avec le juge.

Chez Goupil règne la loi du silence. Cette pratique digne des grands mafieux, je la retrouverai plus tard dans d'autres affaires financières. Le PDG se tait, son adjoint n'a rien à dire. Seul un cadre subalterne, un second couteau, va accepter de parler, nous permettant de comprendre en partie ce qui se passe. L'instruction permettra quand même d'apporter les preuves de l'implication du PDG et de son adjoint. Les deux hommes ont été condamnés plus tard par le tribunal correctionnel, puis par la cour d'appel.

D'autres affaires financières vont suivre. Je vais ainsi instruire ce que la presse appellera « l'affaire des chefs cuisiniers ». La comptable d'une société de Rungis qui fournit en poissons certains des plus grands restaurants parisiens va un jour se confier aux policiers. Elle indique

que des sommes prétendument versées à des fournisseurs sont en fait une façon de sortir de l'argent liquide, argent dont elle ignore la destination. L'enquête démarre. Le PDG explique que les sommes officieusement sorties lui servent à distribuer des pots-de-vin à tous les chefs cuisiniers des grands restaurants, afin qu'ils continuent à s'approvisionner chez lui. Lors de la perquisition, on trouve dans le coffre-fort de la société une trentaine d'enveloppes soigneusement rangées, préparées pour le mois suivant. Sur chacune figure le nom de l'établissement, et à l'intérieur, des sommes en espèces, variant de mille à deux mille francs, dont le montant correspond exactement à un pourcentage du chiffre d'affaires de la société avec ce restaurant. On retrouve également une liste avec les noms des établissements, les noms des chefs et la grille des pourcentages. Le plus élevé, 10 %, est attribué au chef cuistot du ministère des Affaires étrangères. La vérification du compte bancaire de ce dernier faisant apparaître d'autres versements en liquide, je découvre à cette occasion que le cuisinier émarge également sur les fonds spéciaux du ministère. Me connaissant, le chef de cabinet du ministre aura un moment très peur que j'enquête au passage sur ces fonds au sein de son ministère. Cette corruption généralisée dans les grands restaurants parisiens entraînera la condamnation de tous les chefs cuisiniers impliqués. *La Tour d'argent* dira plus tard que, si elle a perdu une étoile au Michelin, c'est à cause de moi.

Après les cuistots, je m'occupe du TGV Nord. Le chantier de construction de la ligne nouvelle entre Paris et Lille représente des commandes considérables. De quoi attiser les convoitises, dont celle d'un chef d'entreprise. Pour faire accepter ses devis de travaux, soigneusement surévalués et gonflés, par la SNCF, ce PDG distribue des sommes énormes à tous les ingénieurs de la SNCF qui travaillent avec lui. Il racontera, lors de l'instruction, les échanges d'argent dans les parkings d'un hôtel de la porte Maillot. Au total, le préjudice est évalué à plusieurs millions.

Après quelques années d'instruction d'affaires financières à Créteil, j'ai acquis une conviction. Dès qu'il y a marché important, dès que des sommes importantes sont en jeu, la corruption est là. La suite des dossiers va largement conforter ce sentiment. Dont l'affaire dite des « HLM de Paris ».

5.
« Un dossier marrant » : les HLM de Paris

> À force de s'entendre dire que « c'était une belle affaire » par ses collègues ou les quelques amis avocats qu'il croisait, Jérôme finit par s'en persuader.
>
> Jean-Didier Wolfromm, *La Leçon inaugurale.*

Il ne s'agit pas ici de dévoiler des pans de mon information, qui seraient restés inconnus ou secrets jusqu'ici. Ni de raconter en quelques pages un dossier qui a occupé sept ans de ma vie. Je n'en ai ni le droit, tenu que je suis par le secret de l'instruction, ni l'envie. Je souhaite seulement diffuser mon éclairage, livrer ma version de certains événements clés qui ont jalonné cette enquête et ont été largement diffusés par les médias. Et montrer comment l'homme a pu ressentir les actions du juge.

Tout commence en février 1994, lors de la reconstitution d'un meurtre entre Capverdiens à Champigny-sur-Marne. Le représentant du parquet, Marc Brisset-Foucault, assiste à l'opération. Entre deux prises de vue des différentes scènes du meurtre, il me glisse qu'il vient d'ouvrir un dossier « marrant », pour reprendre son expression. Et d'ajouter : « J'espère que c'est toi qui l'auras. »

La reconstitution terminée, je retourne à mon bureau. Une de mes collègues passe en coup de vent m'expliquer qu'elle vient de se voir attribuer un dossier financier. Mais qu'il s'agit manifestement d'une erreur : elle n'est pas juge financier. Elle a donc retourné l'affaire à la présidence pour que je sois désigné, étant de permanence financière.

Le dossier arrive. Une simple chemise rose, émanant des services fiscaux, renfermant quelques feuillets dactylographiés. Ces notes évoquent un chef d'entreprise du Val-de-Marne, des paiements de certaines sociétés dirigées par l'individu en question vers d'autres sociétés ou groupements d'entreprises. Le fisc semble trouver tout cela douteux, et se demande s'il ne s'agit pas en fait de fausses factures.

On a beaucoup dit par la suite que Nicolas Sarkozy, ministre du Budget de l'époque, avait à dessein autorisé ses propres services à dénoncer les faits au parquet, histoire de lancer un joli pavé dans la mare chiraquienne quelques mois avant l'élection présidentielle de 1995. Ce n'est qu'un point de vue. Il pourrait aussi bien s'agir d'une « erreur », de sorte que ce rapport aurait été transmis au parquet par pure routine, sans qu'aucun supérieur ne se rende compte de son importance. Entre les deux versions, je balance selon mon humeur du moment...

Toujours est-il que l'affaire qui m'arrive entre les mains me semble intéressante dès la première lecture. La note du fisc fait référence à d'autres affaires antérieures, comme l'attribution du marché de la Très Grande Bibliothèque. Certains noms cités semblent avoir des amitiés dans plusieurs groupes politiques. Des marchés avec les Offices d'HLM de Paris et des Hauts-de-Seine sont évoqués.

Le lendemain, je cherche un service de police à saisir. Ce n'est pas toujours facile. Les gens sont toujours surchargés de travail, ou alors estiment que le dossier est trop gros, ou trop petit, pour eux. C'est ce qui se passe avec mon dossier rose. Estimant d'emblée que l'affaire est importante, je souhaite la confier à un service parisien. J'appelle donc le huitième cabinet de délégation judiciaire qui a compétence pour les affaires de fausses factures. Au téléphone, le policier qui me répond se défile. « On est très chargé, on a beaucoup d'affaires en cours, et si on prend la vôtre, on ne pourra certainement pas la commencer avant au moins six mois. Essayez de trouver un autre service. » Ça commence mal. Mais, dans un sursaut de curiosité, mon interlocuteur me demande de lui citer les noms qui apparaissent, histoire de se renseigner.

Quelques heures plus tard, le ton a changé. Lorsque le policier me rappelle, je sens d'emblée l'excitation dans sa voix. « Je me suis renseigné, on a déjà entendu parler de certains noms. Je viens vous voir dès que possible pour chercher la commission rogatoire. » L'aventure vient de commencer.

Ce policier que j'attends dans mon bureau s'appelle Georges Poirrier. Surnommé « Facturator », il est le seul à s'intéresser depuis longtemps aux fausses factures. Un sujet plutôt rébarbatif. Il faut pointer les factures, vérifier d'une part si les prestations censées être les contreparties des paiements ont bien été effectuées, d'autre part si l'argent est bien sorti des comptes bancaires, sur quels comptes il est allé, s'il en est ressorti pour encore d'autres comptes. À ce petit jeu, Poirrier excelle, avec son air de Columbo de la financière, toujours mal coiffé, petit sourire désabusé et regard intelligent. Entre nous, la complicité est presque immédiate. J'ai d'emblée la conviction que je peux lui faire confiance : il cherchera avec ténacité et courage. Lui doit sentir que je serai à ses côtés : je le suivrai. Je lui donne la commission rogatoire. Les choses, désormais, vont aller vite.

Trop vite, peut-être. Quand l'affaire va devenir sensible, Georges Poirrier sera « promu » à Perpignan. Cet avancement, qu'il avait demandé depuis longtemps, en fera l'un des seuls inspecteurs divisionnaires à obtenir le grade de « chef inspecteur divisionnaire ». Mais la personnalité de « Facturator » manquera beaucoup au bon achèvement du dossier.

Ce dossier est donc au départ celui de la SAR. Une société située à Alfortville qui a payé au total une quinzaine de millions de francs pour régler des factures émises par d'autres entreprises. Jusque-là, tout est normal. Sauf que ces factures, bien réelles, établies sur du beau papier à en-tête, correspondent à des prestations totalement fictives. La SAR paie des fournitures bidon.

Parmi les fournisseurs fictifs de la SAR figure Jean-Claude Méry. L'homme dirige un cabinet de consultant qui marche fort bien, si l'on en croit sa comptabilité. Il est en effet loin de n'avoir que la SAR comme client. Une rapide vérification permet de constater qu'en quatre ans, Méry a encaissé pour plus de 38 millions de francs provenant de sociétés du bâtiment et des travaux publics. En contrepartie de rien, dûment facturé sous l'appellation pompeuse d'« assistance commerciale ». Dans ses bureaux, aucun dossier n'atteste de la moindre activité. Seule une secrétaire, d'ailleurs payée par une autre société, occupe les lieux.

En tombant sur Méry, l'affaire change de dimension. Je me rends compte, à ce moment-là, en premier lieu que la SAR n'est pas la seule à verser sa dîme. Tout le gotha du BTP parisien, les plus grosses entreprises du secteur figurent dans la comptabilité Méry. En second lieu, après recherches, que toutes les entreprises « cotisantes » obtiennent simultanément des marchés avec l'Opac, l'Office public d'aménagement et de construction de Paris. Et que la majorité des chefs d'entreprise concernés sont des sympathisants ou des membres du RPR. De plus, un bon nombre sont francs-maçons. Je m'apercevrai aussi que les dirigeants de l'Opac connaissent tous Jean-Claude Méry. Qu'il s'agisse du président du conseil d'administration de l'Office de l'époque, Jean Tiberi, de son directeur général Georges Pérol ou de son directeur général adjoint François Ciolina.

Je ne suis plus en face d'une affaire de fausses factures. Il s'agit désormais également de trafic d'influence. Je demande et j'obtiens un réquisitoire supplétif du procureur de la République, qui m'autorise à enquêter sur le trafic d'influence au sein de l'Office HLM de Paris.

Je m'apercevrai bien plus tard que le fonctionnement de l'Opac est pour le moins litigieux. Au lieu d'adopter la procédure d'appel d'offres classique, qui est un peu aux marchés publics ce qu'est la dégustation à l'aveugle pour le vin, l'Opac utilise la procédure dite du marché « négocié ». Ce qui permet d'avoir des contacts directs entre l'entreprise et le donneur d'ordre, en l'espèce, l'Office, d'éliminer les sociétés concurrentes et de favoriser les sociétés « amies », ces généreuses entreprises qui acceptent d'honorer les factures bidon de Jean-Claude Méry. Les chefs d'entreprise diront d'ailleurs clairement, sur procès-verbal, que le fait de payer les factures Méry était le seul moyen, pour eux, d'être agréés par l'Opac et donc d'avoir les marchés.

Le circuit financier

Les fausses factures n'ont qu'un seul but. Elles permettent à l'entreprise qui les paie de justifier sur le plan comptable les sorties d'argent correspondantes. Argent qui peut ensuite, selon les cas, revenir directement dans les mains du chef d'entreprise, ou atterrir sur d'autres comptes bancaires, après des circuits plus ou moins compliqués, pour servir de pots-de-vin. Ces faux documents n'émanent pas toujours de sociétés qui ont pignon sur rue.

La SAR paie donc. Elle règle de nombreuses factures douteuses. Certaines sont émises par une société monégasque. Dans ce cas, l'argent versé par virement bancaire sur le compte de cette structure ressort en liquide sans aucune difficulté : à Monaco, il suffit de faire des bons dans la comptabilité pour justifier les sorties d'espèces. À partir du moment où cet argent est sorti « dans l'intérêt de la société », le droit monégasque, qui ne connaît pas l'abus de biens sociaux, ne trouve rien à redire.

Certaines fausses factures émanent d'une « coquille vide », une « société taxi », nom donné à ces entreprises spécialisées dans la fabrication de fausses factures. La SAR a réglé de grosses sommes à une coquille, implantée en France mais dirigée depuis la Côte-d'Ivoire par le propriétaire d'une bananeraie, Jean-Pierre Soizeau. L'argent de la SAR est viré en Côte-d'Ivoire, puis revient en France où il est retiré en espèces. Je parviendrai à retrouver l'une des amies de Soizeau, décédé lui-même peu de temps avant le début de mon enquête. Elle m'expliquera qu'il allait à la banque, prenait des espèces dans une mallette, puis s'arrêtait devant un immeuble parisien. Là, il lui demandait d'attendre dans la voiture et s'engouffrait sous le porche, la mallette à la main. Il ressortait de l'immeuble quelques instants plus tard, délesté de sa mallette. Malheureusement, la femme connaît très mal Paris. Elle a été incapable de préciser où se trouvait cet immeuble. Compte tenu de l'importance de ce détail, j'ai demandé à Georges Poirrier de tenter de retrouver l'endroit. Le pauvre s'est trimbalé dans tout Paris avec elle, en vain. Elle n'a jamais pu reconnaître la façade derrière laquelle tous ces millions se sont évaporés.

Dans ce dossier, il apparaît donc rapidement que la circulation de l'argent est une véritable entreprise, parfaitement rodée et efficace. D'énormes sommes passent de compte en compte, puis filent à l'étranger : Hollande, Angleterre, Liechtenstein, Monaco, Israël, Suisse. En trois mois, 70 millions de francs transitent sur un seul numéro de compte en Suisse. Un autre, toujours en Suisse, sert de simple étape à plus de 200 millions de francs, envolés ailleurs. Le gestionnaire d'un de ces comptes expliquera qu'il employait trois personnes avec pour unique fonction de faire régulièrement des voyages Suisse-Paris pour rapatrier les espèces. Un autre, qu'il avait rendez-vous une fois par semaine dans le hall d'un grand hôtel parisien avec un homme élégant qui venait chercher les mallettes avant de repartir dans une puissante berline. Le surnom de cet intermédiaire que je ne parviendrai jamais à identifier ? « Monsieur Jacques »... Tous ces mouvements de fonds, de pays en pays et de compte en compte, n'ont qu'un seul but. Compliquer la tâche d'éventuels enquêteurs qui tenteraient de remonter le fil des virements bancaires. Il faut quelques secondes pour faire un virement

Swift entre deux comptes en passant par-dessus une frontière. Mais plus d'un an à un juge pour obtenir les relevés bancaires de ces comptes.

Des comptes qui sont ouverts au nom de sociétés installées aux îles Bahamas, au Panama ou dans des pays encore plus confidentiels, comme les îles Türk et Caicos. Et ces sociétés sont en général administrées par des prête-noms : des gens qui se font payer pour être, sur le papier, le PDG de sociétés dont ils ne verront jamais la moindre trace réelle. L'un des plus connus dans le monde financier est sans doute un certain Philip Mark Croshaw, administrateur de plus de mille sociétés offshore. Cet homme, personne ne le connaît, personne ne l'a jamais vu. Son adresse le localiserait sur l'île de Man, sur la côte ouest de l'Écosse. Mais on ne sait même pas s'il existe. En tout cas, dès que son nom apparaît dans une structure, on sait que l'on est sur la bonne piste. Et qu'on aura du mal à arriver au bout. J'aimerais bien qu'un jour ce fantôme me parle.

En Suisse, les comptes sont le plus souvent ouverts au nom de sociétés étrangères, et gérés soit par des avocats, soit par des fiduciaires. Ces sociétés qui ont pignon sur rue à Genève, à Zurich ou à Lausanne ont à leur disposition des structures offshore toutes prêtes. Des structures qu'un client peut louer directement pour disposer d'un de ces comptes bancaires à l'abri des curieux. Le titulaire n'apparaît jamais. Les relevés de comptes arrivent directement à la fiduciaire. Cela complique considérablement le travail de l'enquête. Lorsque, par chance, on découvre un numéro de compte, s'il s'agit d'une fiduciaire, il est bien difficile de remonter jusqu'au titulaire réel.

Les grandes étapes

Pendant sept ans, je vais accomplir des centaines d'actes courants dans le cadre de ce dossier. Convocations, auditions, perquisitions, mises en examen, mandats de dépôt. Des actes qui relèvent du travail ordinaire du juge. Toutefois, certains épisodes de cette affaire vont connaître, malgré moi, une certaine publicité. Médiatisés, parfois non sans arrière-pensées de la part des promoteurs de ce genre d'opérations, ils vont donner lieu à toutes sortes de commentaires et d'interprétations. Pour ces événements ordinaires, je souhaite livrer ici un récit plus conforme à la réalité ; un cadrage plus personnel. Je traiterai un peu plus loin des actions qui, elles, relèvent d'une autre catégorie. Celle des « coups tordus ».

L'audition de Philippe Massoni

J'en suis au tout début de mon instruction. Quelques mois de travail à peine. Les premiers résultats sont encourageants. Les policiers qui font équipe avec moi explorent toutes les pistes. À ma demande, ils se rendent en Côte-d'Ivoire pour perquisitionner les bureaux de Soizeau. Sur place, les enquêteurs découvrent le double d'une lettre adressée à M. Jehanne, membre du cabinet du ministre de la Coopération Michel Roussin, dans laquelle le planteur évoque un contrôle fiscal dans ses bureaux français. L'auteur demande à son destinataire d'intervenir, parlant de « frères », de « qui vous savez », du « patron ». Il évoque également Francis Poullain, ainsi que deux hauts fonctionnaires de police « bien au courant du dossier » et susceptibles d'intervenir. Dont Philippe Massoni. Au moment où j'entre en possession de la missive, Philippe Massoni n'est autre que le préfet de police de Paris.

Dans un premier temps, en juin 1994, je me rends au ministère de la Coopération. Perquisition dans le bureau de M. Jehanne. Je lui présente la lettre saisie en Afrique et lui demande qui sont les « qui vous savez » et autres « patrons ». Il me répond qu'il n'en sait rien. Cette opération ne donne aucun résultat. Mais elle se fait dans la plus totale discrétion. Aucun journaliste n'est présent ni à mon arrivée au ministère, ni lorsque nous quittons les lieux. Ce qui montre que, lorsqu'il n'y a pas trop d'avocats dans le dossier, certains actes peuvent rester totalement secrets.

Je décide après cela, pour en avoir le cœur net, de montrer le courrier à Philippe Massoni. Je l'appelle au téléphone pour lui dire que j'aimerais bien l'entendre et lui fixe une date de convocation à mon cabinet. Quelques jours plus tard, il me rappelle. De sa voix douce et polie, il m'explique qu'après réflexion, il préfère me recevoir dans son propre bureau. J'insiste pour maintenir la convocation dans sa forme initiale. Ce n'est pas sans importance. Quand une greffière est habituée à taper sur son ordinateur, quand le juge est dans ses murs, c'est un peu comme une équipe de football qui joue à domicile, sur son terrain. On est plus à l'aise. Le préfet de police le sait fort bien. Il va donc revenir à la charge, le matin même de l'audition, avec un nouveau coup de fil. « Il y a un problème », me dit-il. Une manifestation de chauffeurs de taxi l'oblige absolument à rester chez lui. Il est bien sûr désolé, et propose de m'envoyer un chauffeur pour m'accompagner à la préfecture. J'esquive le coup, proposant de reporter l'audition. Mais petit à petit, face à cette véritable obstruction soft, je vais être contraint de céder. Nous allons jouer à l'extérieur.

Nous voilà donc partis. Arrivés à la Préfecture de police, la secrétaire du préfet prête un ordinateur à ma greffière, qui ne sait pas où s'installer et doit apprivoiser une machine qu'elle ne connaît pas. Philippe Massoni arrive enfin. Lorsque je lui présente la lettre, il fait mine de la découvrir. Il précise très vite qu'il n'a jamais entendu parler ni de son auteur ni de son destinataire, pas plus que des gens cités. Avant de se lancer dans un long commentaire du texte, qu'il détaille mot par mot et point par point, montrant bien qu'il a « travaillé » son sujet. En fait, une copie de ce courrier lui a sans doute été transmise depuis quelques jours par des voies détournées. Il ne faut pas oublier que le huitième cabinet de délégation judiciaire, service de police à qui j'ai confié cette affaire, dépend de la préfecture…

Cette audition m'a toutefois permis de rencontrer un homme très intelligent, fin, brillant. Mais elle n'apporte strictement rien au dossier.

Depuis, Philippe Massoni, atteint par la limite d'âge, a quitté ses fonctions à la Préfecture de police. Il est devenu en 2001 le conseiller spécial du président de la République pour les affaires de sécurité.

La rencontre avec Méry

Jean-Claude Méry, membre du comité central du RPR, a eu un rôle très important dans les éventuelles malversations de l'Opac. C'est à lui que les entreprises devaient s'adresser pour avoir une chance d'obtenir un marché. Le jour de son inculpation, ma greffière entend le collaborateur de son avocat Me Sarda, connu d'ailleurs pour être l'avocat de la mairie de Paris, dire à son patron : « Vous avez raison, c'est une opération qui vise Chirac. » Nous sommes alors en septembre 1994.

En dépit de nombreuses interrogations, je ne parviendrai pas à le faire parler. Il a réservé ses confidences, filmées, à d'autres...

« Voyage » en Corrèze

En février 1995, quelques mois avant l'élection présidentielle, je demande aux policiers de se rendre en Corrèze. Je souhaite faire vérifier le financement du centre d'art contemporain de Meymac, ville dont le maire est alors Georges Pérol, directeur général de l'Opac. J'avais en effet constaté, au cours de différentes études et auditions, que des entreprises bénéficiaires de marchés de travaux avec l'Opac avaient subventionné, parfois largement, ce centre artistique. La perquisition devait permettre d'établir la liste exacte de toutes les sociétés bienfaitrices, de vérifier si ce centre avait eu en retour une véritable activité, et de retrouver les courriers joints aux chèques. Une façon de voir si ces subventions avaient été faites en toute liberté de la part des donateurs.

Accessoirement, apparaît dans le dossier une liste aux élections régionales, liste menée par Raymond-Max Aubert – lequel deviendra ensuite secrétaire d'État dans le gouvernement d'Alain Juppé – et Georges Pérol.

Quelques jours avant leur départ pour Tulle, les policiers viennent me voir. Ils sont visiblement embarrassés par cette mission. Raymond-Max Aubert est député, d'autres personnages intéressants ont des fonctions élevées. Ils préféreraient ne pas y aller seuls, et me demandent comme un service de les accompagner. Ce n'est pas une pratique courante. Le juge se déplace en général pour les perquisitions importantes, mais il n'a pas le temps de suivre les enquêteurs chaque fois qu'ils vont quelque part en France ou à l'étranger. Je vais quand même faire ce voyage, à la demande expresse des policiers.

Lorsque nous arrivons, les journalistes sont là. Nous sommes filmés, photographiés. On verra souvent, à la télévision, la même séquence, prise à cette occasion, où je marche devant le palais de justice de Tulle. Le fait que je me déplace personnellement, pour une visite « médiatisée » en Corrèze, fief du candidat RPR à la présidentielle, est pris alors comme une vraie provocation. Et ce, un mois et demi seulement après l'affaire Schuller-Maréchal, dont je parlerai plus loin, affaire qui m'a jeté sur le devant de la scène et mis dans une situation très critique. Mon premier acte « public » après cet épisode rocambolesque, cette visite dans la citadelle RPR corrézienne est donc interprétée par certains comme un signe de révolte. Un geste du juge, pour signifier qu'il est prêt à tout pour enquêter, y compris sur le possible futur président, et quoi qu'il arrive.

Mais pour moi, de provocation, il n'était absolument pas question. Juste une façon de rendre service aux policiers. Je me suis demandé ensuite s'il n'y avait pas eu quelque part une demande de la hiérarchie policière pour que je m'expose ainsi personnellement. « On » aurait ensuite averti les journalistes, qui n'ont plus eu qu'à faire tourner les caméras.

Au-delà de ces commentaires, la visite en Corrèze me réserve quelques surprises. Tout d'abord lorsqu'il nous faut trouver le domicile du député Raymond-Max Aubert. À l'adresse donnée sur les documents officiels de l'élu, nous tombons sur un local sombre et exigu dans lequel dorment trois ou quatre travailleurs clandestins turcs, en séjour irrégulier. Cocasse. Autre étonnement, lorsque nous arrivons au siège de la liste « Réussir le Limousin » dirigée par Aubert, à la permanence locale du RPR. L'homme qui nous reçoit se présente : Philippe Ceaux. Très courtoisement, il nous confie les papiers que nous lui demandons et signe le procès-verbal de perquisition. Avant de prendre congé, je lui demande, dans la conversation, quelle est sa profession. « Chargé de mission à la mairie de Paris. » Pour le prouver, il m'enverra d'ailleurs plus tard l'ensemble de ses fiches de paie. Curieux, je poursuis : « Et vous allez souvent dans la capitale ? – Jamais. » Explications de l'intéressé : « C'est à la demande expresse de Jacques Chirac que j'ai été chargé de mission à la mairie de Paris. » Tout cela se passe oralement. J'ai sans doute eu le tort de ne pas le noter sur un procès-verbal. Comme quoi je ne fais pas que de la provocation... Lorsque je demanderai un réquisitoire supplétif au procureur de Créteil, cela me sera refusé. L'affaire de ce salarié de la Ville de Paris travaillant au RPR de Tulle sera simplement renvoyée au parquet de Paris pour « emploi fictif ». Et sera classée.

Perquisition au RPR

Plusieurs chefs d'entreprise entendus mettent en cause le RPR ? Je dois vérifier. Le 7 juillet 1995, je décide d'une perquisition au siège du parti, rue de Lille, dans le septième arrondissement de Paris. Je compte rechercher tout document en lien avec mon dossier, dont des relevés bancaires, et surtout visiter le bureau de Mme Louise-Yvonne Casetta, qui apparaît à plusieurs reprises dans cette affaire. Il semble en particulier que cette dame ait eu des rendez-vous fréquents avec Jean-Claude Méry.

Les policiers qui doivent m'accompagner sont avertis la veille au soir seulement, pour limiter le risque de fuites. Le commissaire Patrick Hefner, patron du huitième cabinet, m'avait en effet expliqué qu'il était obligé, lorsque je le prévenais à l'avance de mes intentions, d'en aviser sa hiérarchie. Il se trouvait ainsi dans une position délicate, coincé entre le respect du secret de l'instruction et celui de sa hiérarchie. Il m'avait donc proposé de ne l'avertir qu'au dernier moment des futures perquisitions. Ce que j'avais accepté.

Notre accord se révèle peu efficace. Lorsque nous arrivons au RPR, l'effet de surprise escompté n'est pas là. La secrétaire au rez-de-chaussée m'accueille avec un grand sourire. Je n'ai pas fini de me présenter, « Éric Halphen, juge d'instruction à Créteil », qu'elle me répond : « Quatrième étage. » Nous montons. Mme Grave, la directrice de cabinet de Jean-François Mancel, secrétaire général du parti, nous reçoit tout aussi souriante. Elle m'informe de l'absence de Mme Casetta. Celle-ci n'est d'ailleurs pas la seule à avoir déserté. Il y a très peu de monde dans les bureaux. Un vide organisé : « Lorsque le juge Halphen est venu perquisitionner rue de Lille, je me suis retrouvée seule, absolument seule, face à une horde d'enquêteurs qui, pour être polis, n'en étaient pas moins intimidants – et peut-être davantage. Tous, du secrétaire général à l'adjointe du directeur administratif et financier, en passant bien sûr par le trésorier, tous avaient été prévenus, et s'étaient bien abstenus d'être présents (...) », indique dans un livre paru l'an dernier Armelle Laumond, secrétaire au RPR et épouse de l'ancien chauffeur de... Jacques Chirac[1].

Ma visite des locaux est quand même instructive. Ainsi, au secrétariat de la comptabilité, les armoires n'ont aucun secret pour moi. Et pour cause. Tous les dossiers se sont envolés. Ne restent que les berceaux suspendus qui, la veille encore, les contenaient. L'agenda est lui aussi en version « allégée ». La semaine en cours est orpheline. Toutes les pages précédentes ont été arrachées. Quant à la cave, dans laquelle nous descendons pour jeter un œil aux archives, elle est dans un tel désordre qu'il est illusoire de vouloir y chercher quoi que ce soit. Je repars bredouille, mais avec une certitude. Ce n'est plus la veille qu'il faut aviser les policiers, mais au tout dernier moment... Et pour être sûr de la surprise, mieux vaut arriver en début d'après-midi. Question de tactique horaire. En effet, avant toute perquisition, outre les policiers qui doivent l'assister, le juge est tenu d'aviser le parquet dont il dépend et celui dont dépend le lieu de sa visite. Une fois ces informations lâchées, il reste un petit laps de temps aux indélicats pour donner l'alerte et aux futurs perquisitionnés pour faire un brin de ménage. Vers 9 heures du matin, l'aviseur est presque sûr de trouver quelqu'un dans les bureaux. En revanche, en donnant le top départ de

---

1. Jean-Claude Laumond, *Vingt-cinq ans avec lui*, Ramsay, 2001.

l'opération entre midi et deux, il y a plus de chances que, sur le lieu visé par le juge, le téléphone sonne en vain. Tout le monde déjeune... Enfin, cela est sans doute moins vrai aujourd'hui, compte tenu de la généralisation des téléphones portables.

Perquisition au PR

Trois semaines plus tard, j'applique ma nouvelle stratégie. La perquisition au siège du Parti républicain, rue de Villersexel, toujours dans le septième arrondissement, le 20 juillet 1995, est prévue à 14 heures. J'ai quelques questions à poser à Jean-Pierre Thomas, le trésorier du parti, sur les raisons de ses nombreux contacts, rendez-vous ou coups de fil, avec Jean-Claude Méry. Lorsque nous nous présentons devant la porte du PR, à 14 heures, il n'y a personne. On entend de l'autre côté le téléphone sonner à de nombreuses reprises. Dans le vide. Trois quarts d'heure plus tard, Jean-Pierre Thomas se présente enfin. Homme sympathique, ouvert et franc. On sent chez lui comme une lassitude. Il n'en est pas à sa première perquisition, étant lui-même mis en examen dans un autre dossier. Les premières investigations ne donnent pas grand-chose. Il y a bien ce coffre-fort, dans le bureau du trésorier. Je demande ce qu'il contient. La réponse est évasive. « Rien. Un petit peu d'argent, quelques papiers. – Vous pouvez me l'ouvrir ? – Je n'ai pas la clé. » La perquisition se poursuit.

J'oublie cette histoire de coffre, au point que je manque de partir sans régler ce détail. Au dernier moment, quand même, je redemande l'ouverture. Thomas finit par envoyer une personne chercher la clé dans un autre local annexe. Pendant que nous attendons le retour du sésame, il module un peu ses premières déclarations. « En fait, vous allez voir, il y a un peu plus d'argent que ça. » Pour voir, je vais voir. Lorsque le coffre s'ouvre un quart d'heure après, je découvre le plus gros tas de billets de banque jamais vu de ma vie. Les billets de 100 et de 500 francs sont comptés, empilés et rangés sur une table. Une petite montagne qui pèse 2,4 millions de francs.

Explication ? Selon le trésorier, cet argent provient des fonds spéciaux. Quelques semaines auparavant a eu lieu l'élection présidentielle. L'un des candidats, Édouard Balladur, ne disposait pas de structure officielle de soutien, puisque le RPR roulait pour Jacques Chirac. Je me suis dit que ces 2,4 millions représentaient peut-être les restes de ce que Matignon avait envoyé au Parti républicain, quelques mois plus tôt. Et qu'Édouard Balladur avait financé une partie de sa campagne électorale avec des fonds publics.

Je ne suis pas saisi de ces faits. Je ne place donc pas les billets sous scellés, action qui risquerait d'entraîner l'annulation de la perquisition. En revanche, j'en fais relever les numéros. Après vérification, il apparaîtra que ces billets ont tous été délivrés directement par la Banque de France, confortant la version de Jean-Pierre Thomas. Ce dernier s'est d'ailleurs engagé à m'envoyer la preuve qu'il s'agissait bien de fonds spéciaux. Puisqu'il avait signé, lors de la remise de ces fonds, un registre spécial à Matignon, et qu'en retour il avait également fait parapher un reçu. Je ne recevrai jamais copie de ces preuves. Une nouvelle fois, je demande un réquisitoire supplétif, pour « détournement de fonds publics et infractions à la législation sur le financement des partis politiques », cette fois. Refusé. L'affaire sera renvoyée à Paris au cabinet de Mme Fillipini, ma collègue qui s'occupe déjà des affaires du Parti républicain. Sans suite.

Matignon rive droite

La version des fonds spéciaux au PR n'est qu'une possibilité. Commode, certes, mais pas forcément bonne. Car il existe une seconde hypothèse : cet argent pourrait aussi provenir de Jean-Claude Méry. Tant que je n'ai pas de preuve sur l'origine de ces sommes, je reste dans le cadre de mon enquête. Pour en avoir le cœur net, je décide, le 25 juillet 1995, soit cinq jours plus tard, de consulter le fameux registre de Matignon dont m'a parlé Jean-Pierre Thomas. J'y vais sans policiers, accompagné de ma seule greffière. Je gare la voiture sur le trottoir, devant l'entrée principale, et me présente à la porte. Le chef du service de sécurité de Matignon qui nous reçoit nous dirige dans un minuscule réduit. Le temps s'écoule. Régulièrement, quelqu'un passe la tête pour nous dire de ne pas nous inquiéter, que l'on s'occupe de nous. Au bout d'une heure et quart, enfin, le chef de cabinet du Premier ministre peut nous recevoir.

La rencontre a lieu dans une sorte de salle de réunion, au rez-de-chaussée. Le chef de cabinet me dit : « J'ai bien compris que vous êtes venu pour connaître le fonctionnement des fonds spéciaux. » Ce à quoi je réponds non, précisant que seul m'intéresse le registre de ces fonds. Précaution bien inutile. La suite tourne au dialogue de sourds. À chacune de mes questions, le chef de cabinet rétorque : « Je ne suis pas autorisé à vous répondre. » Jusqu'au moment où je demande : « Mais par qui n'êtes-vous pas autorisé à me répondre ? » Et l'autre, sans rire, de répliquer : « Je ne suis pas autorisé à vous répondre. »

J'hésite un moment à monter dans les étages, afin de rechercher moi-même le fameux registre. Mais je sais que je suis à la limite de ma saisine. Je ne vais pas oser. Je dois me résoudre à quitter Matignon bredouille.

Curieusement, le procureur m'adresse à ce moment un petit mot, au sujet de ma saisine et des fonds spéciaux. Il me semble, à la lecture de cette lettre pointilleuse, pleine de références budgétaires pointues, qu'elle n'émane pas forcément des services du procureur. Hasard du courrier, quelques jours plus tard, une lettre signée d'Alain Juppé, Premier ministre, parvient à mon cabinet. Lettre dans laquelle il indique, au cas où je ne l'aurais pas encore compris, que tout ce qui concerne les fonds spéciaux est couvert par le secret-défense. Ce texte me donne toutefois une impression de déjà lu. Et pour cause. J'y retrouve les phrases déjà utilisées dans la lettre signée du procureur. Pure coïncidence de style, sans doute. Il n'existe, c'est sûr, aucun lien entre le parquet et certains ministres.

Un après-midi chez les Tiberi

Le 27 juin 1996, mon enquête m'amène à perquisitionner chez Jean Tiberi, maire de Paris et président du conseil d'administration de l'Opac. Je déjeune ce jour-là avec un copain, quelque part dans Paris. Ma greffière doit aviser le parquet au dernier moment et venir me rejoindre, en compagnie des policiers. Je leur ai donné rendez-vous, sans leur dire où nous allons, place du Panthéon à 14 heures.

À l'heure dite, tout le monde est là, y compris la représentante du parquet. Les policiers me demandent où nous allons. « Chez Jean Tiberi. » Je sens un certain désappointement. Pendant que nous marchons en direction de l'immeuble, les policiers téléphonent. Beaucoup. Nous sonnons chez le concierge. J'ignore absolument à quel étage réside le maire. J'ai déjà eu beaucoup de mal à me procurer son adresse personnelle. Ne voulant pas alerter les enquêteurs, qui se chargent d'ordinaire de ce genre de travail, j'ai dû faire la recherche seul, consultant en vain tous les annuaires, *Who's who* et autres notices. C'est finalement un copain de copain qui me donnera le renseignement. Mais il est incomplet. Et le fils de la concierge se montre assez peu coopératif. Lorsqu'il consent à m'indiquer l'étage, après que je lui ai présenté ma carte, une femme qui sort de l'immeuble nous interpelle. « Jean Tiberi n'habite pas du tout là, vous vous trompez. Ici, c'est Laurent Fabius. Tiberi, c'est l'immeuble d'à côté. » Et elle file sur ce gros mensonge.

Nous montons. Arrivés sur le palier, je sonne. À ce moment précis, derrière moi, le commissaire Prunier, nouveau patron du huitième cabinet, raccroche son téléphone portable et me dit : « Je suis désolé, monsieur le juge, mais nous ne pouvons pas vous accompagner. » Au même moment, devant moi, la porte s'ouvre et Jean Tiberi apparaît. À mon tour d'être désemparé. Je demande au maire de m'excuser deux secondes, me retourne vers les policiers et demande qui a donné l'ordre. « Mon directeur. – Pourquoi ? – Parce que nous avons été prévenus au dernier moment. » Comme d'habitude, selon les accords passés avec le prédécesseur de Prunier. Mais visiblement, il y a perquisition et perquisition. Ce qui était valable pour les autres opérations ne l'est plus aujourd'hui.

Tout cela prend beaucoup de temps. Il est 15 h 15 lorsque je pénètre enfin, avec ma greffière et la représentante du parquet, dans l'appartement du maire. Sa présence m'étonne un peu à ce moment de la journée. Je n'étais absolument pas certain de trouver du monde. Je m'étais d'ailleurs demandé si j'oserais, le cas échéant, appeler un serrurier en renfort pour crocheter la porte. Le maire est en costume, cravaté. Aucun relief de repas n'est visible dans la cuisine et la salle à manger. Je pense qu'il a été prévenu de notre arrivée, et qu'il a pu rejoindre son domicile grâce à l'entrée de service, pendant que nous étions retenus chez la concierge. Mais il est là, souriant et aimable. « Monsieur le juge, je suis à votre disposition. » Un peu plus tard, son épouse Xavière arrive, très cordiale elle aussi.

La perquisition n'avance pas. Difficile de fouiller partout quand on est seul avec sa greffière. D'autant qu'un juge d'instruction n'est pas formé pour. Il ne sait pas chercher. Cela prend un temps infini. Sous l'œil de la représentante du parquet, je passe d'une pièce à l'autre, j'ouvre des tiroirs. Ici, je tombe sur une trentaine de boîtes de collants, neuves. Mme Tiberi a peut-être peur de manquer. Là, sur un coffre, contenant environ dix mille francs en espèces, et des armes. Jean Tiberi m'explique qu'il les a depuis longtemps, et que c'est en quelque sorte une tradition corse que d'avoir des armes chez soi. Sur une table, en évidence, trois feuillets manuscrits. Ce sont des notes de Mme Tiberi, des idées qui lui passent par la tête et qu'elle écrit à la va-vite. Elle y évoque J. et Ch. Et estime que l'on veut tout coller sur le dos de son mari alors que « ces deux-là » sont au courant. Je place les feuillets sous scellés. On a beaucoup dit par la suite, sans doute pour me porter tort, que j'avais saisi son journal intime. Désolé, mais non…

Enfin, dans un tiroir, je trouve des fiches de paie au nom de Xavière Casanova, nom de jeune fille de Madame, émises par le conseil général de l'Essonne. Je l'interroge. Elle m'explique qu'elle a vraiment travaillé pour cette institution. Elle a rédigé un rapport sur la francophonie, et insiste pour m'en donner un exemplaire. D'un coup de téléphone, elle se fait apporter le rapport, qu'elle tient à me remettre. Je précise tout cela car la présentation des choses va ensuite s'inverser. Ce rapport va être cité partout comme s'il était la preuve de la culpabilité de Mme Tiberi, laquelle n'aurait jamais voulu me le remettre. Faux. Les preuves de culpabilité, dans cette affaire d'emploi fictif, ce sont les fiches de paie. Et le rapport est au contraire, pour Xavière Tiberi, le moyen de se disculper.

Ce rapport fera plus tard couler beaucoup d'encre. Il sera au cœur de nombreuses procédures judiciaires sur lesquelles je reviendrai dans un autre chapitre. Il entraînera aussi l'un des épisodes les plus comiques, pour ne pas dire grotesques, de toute cette période politico-judiciaire. L'envoi d'un hélicoptère dans l'Himalaya, pour tenter de récupérer le procureur d'Évry Laurent Davenas sur son lieu de vacances, afin d'éviter absolument qu'une information judiciaire soit ouverte à l'encontre de Xavière Tiberi.

Un peu avant de terminer ma visite chez le maire, je jette un coup d'œil par la fenêtre. Beaucoup de journalistes sont là. Prévenus par qui ? Nous ressortons au milieu des caméras et des appareils photo, je m'engouffre dans l'une des voitures des policiers qui m'attendaient en bas. Direction la rue du Château-des-Rentiers, où je demande immédiatement à rencontrer M. Girel, le sous-directeur des affaires économiques et financières de la Préfecture de police. Lequel chapeaute tous les services financiers : brigade financière, huitième cabinet, Brif, etc. J'explique mon amertume quant à l'attitude de ses hommes. Il comprend. Mais son seul souci, désormais, est d'être prévenu à l'avance. Un mur. Je repars avec un immense sentiment de solitude.

Le refus, sur ordre, des policiers de m'accompagner est une première. Le seul précédent remontait à quelques années auparavant, mais dans des circonstances un peu différentes. Des enquêteurs avaient en effet renoncé à suivre le juge Thierry Jean-Pierre lors de sa perquisition dans les locaux d'Urba, à Paris, le juge ayant été dessaisi de l'affaire. Moi, à l'époque, je ne le suis pas encore. Plusieurs syndicats de magistrats vont vigoureusement protester. Le directeur de la Police judiciaire, Olivier Foll, reçoit dans un premier temps le soutien total du ministre de l'Intérieur Jean-Louis Debré. Le policier aurait dû se méfier de cette béquille. Car il sera démis de ses fonctions un peu plus tard. Il fallait bien que quelqu'un porte le chapeau. Je ne suis pas sûr qu'il ait pris lui-même l'initiative de donner l'ordre. Cela venait sans doute de beaucoup plus haut...

Le off

Ces trois lettres désignent une pratique que les journalistes connaissent bien. Mon père, journaliste lui-même, m'en a parlé. Elle consiste, pour l'interviewé, à donner dans un premier temps les explications qu'il estime publiables. Puis, lorsque le stylo est rangé, le magnétophone coupé ou la caméra éteinte, à se laisser aller à quelques confidences. C'est le *off the record*, en général beaucoup plus intéressant et fertile que ce qui s'est passé juste avant.

Pour le juge d'instruction, c'est un peu la même chose. Le procès-verbal d'audition terminé, les propos soigneusement relus et signés, les gens convoqués se détendent. Parfois, ils parlent. Que disent-ils ? Bien souvent, cela prend la forme d'excuses formulées du bout des lèvres. Du genre : « Je sais bien que vous n'êtes pas dupe, monsieur le juge. Cet argent dont on parle, une partie est allée au RPR, une autre à la Ville de Paris, mais ça, je ne le dirais jamais officiellement. » Certains ont peur tout simplement de finir dans la Seine, les pieds coulés dans un bloc de béton. Ils le murmurent. D'autres veulent seulement éviter une mort économique. S'ils parlent, ils savent que leurs entreprises n'auront plus jamais aucun marché avec quelque organisme que ce soit. Enfin, quelques-uns avouent rechigner à cracher dans la soupe et à dénoncer ceux qui les ont fait vivre durant tant d'années.

Un jour, un chef d'entreprise que j'entends dans le cadre d'une autre affaire se met à bavarder après son audition. « Vous savez, tous les noms qui apparaissent dans la presse, à propos de votre affaire des HLM de Paris, je les connais tous. » Et de les citer, avec les cadeaux qu'il fallait offrir pour obtenir des chantiers. Costumes pour les uns, liasses de billets pour d'autres. « Et vous savez, j'ai un copain d'enfance, il s'appelle G., qui portait des valises de pognon pour MM. Chirac,

Tiberi et Roussin. » Je tente ma chance, et demande à mon interlocuteur s'il accepterait de me répéter cela sur procès-verbal. Il hésite, estimant qu'il en avait marre de « ces gens-là et de leurs magouilles », mais préfère réfléchir et revenir la semaine suivante pour m'en parler. Lorsqu'il revient, c'est trop tard. Il refuse de mettre noir sur blanc ses confidences.

Il n'y a pas que les patrons à s'adonner au *off*. Les avocats y ont aussi recours. L'un des défenseurs de Robert Pandraud, mis en examen dans mon dossier, vient me voir avant des échéances électorales. Discours classique de l'avocat, estimant que son client n'a pas fait grand-chose dans cette affaire, par rapport à d'autres. Et s'il obtenait un non-lieu, il pourrait peut-être donner au juge des documents intéressants. Comme des relevés de comptes bancaires. Je tends l'oreille. « Des comptes bancaires de qui ? – De tous ceux que vous voulez », répond l'avocat. Je refuse de marchander le non-lieu. L'homme en robe noire disparaît. Je ne le reverrai plus. Plus tard, la mise en examen de son client sera annulée.

La scène va se répéter avant les élections municipales de 2001, alors que la bataille fait rage entre les tenants de Jean Tiberi et les partisans de Philippe Séguin. L'un des avocats de Tiberi vient dans mon bureau pour m'annoncer que son client est prêt à me donner « les docs ». Ma greffière, qui assiste à la scène, fait comme si de rien n'était. Je m'enquiers de la nature de ces documents. « Les relevés de comptes bancaires à l'étranger de Jacques Chirac et des chiraquiens. Il en a marre. Il veut parler. » Évidemment, en échange, il faudrait faire un geste. Un non-lieu, par exemple. Là encore, faute de céder à ce chantage, je n'aurai plus aucune nouvelle.

La convocation du président de la République

Cet acte du printemps 2001 va causer ma perte. Cette demande sera en effet à l'origine de mon dessaisissement. Elle est pourtant parfaitement normale et logique.

Dans le dossier des HLM de Paris, des chefs d'entreprise expliquent sur procès-verbal qu'ils versent de l'argent pour le RPR. À l'époque des faits, le président de ce parti s'appelle Jacques Chirac. D'autres témoins assurent que de l'argent va aussi à la mairie de Paris. Le maire de Paris de l'époque s'appelle Jacques Chirac. Les faits délictueux concernent essentiellement l'Opac, dont les dirigeants principaux du moment ont été désignés par Jacques Chirac. Tout milite donc pour qu'à un moment ou à un autre Jacques Chirac soit entendu. Si j'avais voulu peser volontairement sur l'élection présidentielle de 1995, j'aurais pu le convoquer quelques semaines avant le premier tour pour l'interroger sur le fonctionnement de l'Opac et sur les hommes qu'il y avait placés. Je n'ai pas souhaité le faire. De même, au moment de clôturer mon dossier à la fin de 1999, j'ai estimé ne pas avoir suffisamment d'éléments tangibles entre les mains.

Survient alors l'épisode de la cassette Méry. Les confessions posthumes de Jean-Claude Méry, décédé en juin 1999, mais enregistrées sur une bande vidéo quatre ans auparavant, font surface. D'abord publiées par la presse, puis diffusées à la télévision, elles mettent directement en cause Jacques Chirac pour des actes antérieurs à ma saisine. Méry parle en effet d'une remise d'argent qui aurait eu lieu avant les faits dont je suis saisi. Mais ce témoignage établit un lien entre les deux hommes, et constitue une raison de plus pour moi d'entendre Jacques Chirac. J'estime toutefois, contrairement à ce que certains diront ensuite, n'avoir pas suffisamment d'éléments le mettant en cause pour l'entendre comme témoin assisté. Car s'il est à la confluence de toutes les pistes de ce dossier, rien ne l'implique directement. Je décide donc de l'entendre en tant que simple témoin. Telle est la raison de cette convocation.

La lettre part pour l'Élysée, adressée à Monsieur Chirac Jacques. La règle habituelle fait que sur l'en-tête des convocations, le nom de famille du destinataire est toujours placé avant le prénom. Une forme que certains jugent humiliante, et qui me sera reprochée dans ce cas. Or, si je suis devenu juge, c'est aussi parce que, selon moi, la Justice doit être la même pour tout le monde, et non dépendre, « selon que vous serez puissant ou misérable », comme le dit La Fontaine. À cette occasion, on m'a soupçonné de négligence. Or convoquer le président de la République n'est pas un acte courant qu'on accomplit sans réfléchir. J'ai pris le temps de tout peser. Et notamment de relire le courrier avant qu'il ne parte. Je me suis posé la question, à propos de l'en-tête, de laisser le libellé dans sa forme habituelle, ou d'intervertir le nom et le prénom. J'ai choisi de respecter l'usage. Parce qu'il s'applique à 100 % des personnes convoquées, et non à 100 % moins une. S'il y a une décision que je ne regrette pas, durant ces sept années d'instruction, c'est bien celle-là. N'en déplaise à mes détracteurs.

En revanche, je n'avais pas du tout prévu la réaction violente de l'Élysée. Dans mon esprit, Jacques Chirac était quelqu'un d'assez « sportif » pour accepter de jouer le jeu. Il a préféré s'expliquer à la télévision, trouvant sans doute qu'une interview avec des journalistes plus ou moins complaisants valait explication devant le juge. Et qu'il ne fallait pas s'abaisser à me faire parvenir sa réponse officielle. Surtout, j'ai eu droit à « l'artillerie lourde ». Déclarations de Michèle Alliot-Marie, de Patrick Devedjian, accusations de forfaiture. C'est grave. J'attendais une réaction du ministre de la Justice pour me défendre. J'attends toujours. J'ai un moment envisagé d'attaquer en diffamation tous ces gens qui m'avaient accusé. Par lassitude, j'ai abandonné.

Reste le mystère de la publicité donnée à cette convocation, annoncée à la une par *Le Parisien*, quelques jours seulement après que l'Élysée eut réceptionné l'envoi. Une enquête sera diligentée à la demande du président de la République, sur une éventuelle violation du secret de l'instruction. L'inspection générale des services établira un rapport, destiné au Conseil supérieur de la magistrature (CSM). Ce rapport sera remis au président du CSM, qui n'est autre que... Jacques Chirac. Lequel s'empressera de le garder pour lui sans en faire la moindre publicité. Les membres du CSM, destinataires du document, ne le découvriront jamais. Nul doute que sa diffusion aurait connu un sort différent si ce rapport m'avait impliqué le moins du monde dans la divulgation de l'information.

Quoi qu'il en soit, il paraît que je suis maintenant détesté par les proches de l'Élysée et leur locataire, qui n'arrêteraient pas de me critiquer, me dénigrer, me maudire. S'il est vrai que l'on juge de la valeur d'un homme au nombre et à la qualité de ses ennemis, me voilà rassuré : susciter tant de haine de leur part est réellement flatteur.

6.
Coups tordus

> Il arrive quelquefois des accidents dans la vie d'où il faut être un peu fou pour se bien tirer.
>
> La Rochefoucauld, *Maximes.*

Ai-je, dans le cadre de mon métier, subi des pressions ? Posée ainsi, la question ne peut qu'entraîner une réponse négative. Des pressions directes, qui prendraient par exemple la forme d'un coup de téléphone m'enjoignant de stopper mes investigations, me promettant monts et merveilles en cas de docilité, ou au contraire me menaçant de représailles si je m'entêtais, je n'en ai jamais reçu. Les méthodes sont beaucoup plus subtiles. Et pires. Car on a utilisé à mon encontre tous les moyens possibles et imaginables pour me faire douter, me déstabiliser, me faire perdre la tête. Ce qui suit donne un aperçu, non exhaustif, mais je pense suffisamment éclairant, de ces pratiques.

L'affaire Schuller-Maréchal

Le 13 décembre 1994, j'effectue une perquisition dans les locaux du journal *Le Clichois*, une feuille électorale au service de Didier Schuller, conseiller général de Clichy, dans les Hauts-de-Seine, et suppléant du député RPR de la circonscription, Patrick Balkany. Ce qui justifie cette visite, c'est tout simplement que la SAR, cette société d'Alfortville dirigée par Francis Poullain, apparaît comme un annonceur régulier dans les colonnes du *Clichois*. Le prix de ces nombreuses publicités ? Équivalent aux tarifs proposés par les grands quotidiens nationaux. Quand on sait que Patrick Balkany est le président de l'Office HLM des Hauts-de-Seine, lequel a donné de nombreux marchés à la SAR, on ne peut pas ne pas penser à une éventuelle corruption.

Les locaux du journal hébergent également la permanence du RPR. À notre arrivée, avec les policiers, un homme se présentant comme « chauffeur » s'interpose. « Vous ne pouvez pas avancer. Ici, c'est le RPR. » Drôle d'ambiance. Nous pénétrons quand même dans les lieux. Les gens présents appellent Christel Delaval, la compagne de Schuller. Elle va assister à toute la perquisition. L'opération terminée, je m'apprête à repartir en emmenant les exemplaires des journaux contenant les pages de publicité pour la SAR ainsi que toute la comptabilité. Là, Christel Delaval me prend à part et me chuchote à l'oreille qu'en cas de problème, mieux vaut que je l'appelle elle directement. Elle me glisse son numéro de téléphone. Puis nous repartons, plutôt égayés par l'accueil reçu. Sans savoir que je viens de mettre les pieds là où il ne faut pas.

Une semaine plus tard, le 20 décembre, alors que je me trouve en plein interrogatoire, le procureur de Créteil me téléphone. Je dois toutes affaires cessantes monter dans son bureau. Intrigué, je mets fin à l'audition pour filer chez le chef du parquet. Je n'ai pas le temps de m'asseoir que la question – très fine – fuse. « Est-ce que vous connaissez un certain M. Maréchal ? » Mon beau-père s'appelant ainsi, j'acquiesce, me demandant *in petto* où mon interlocuteur veut en venir. « Il est en garde à vue. Il a demandé de l'argent aux proches de Didier Schuller en échange d'une intervention auprès de vous. » Je suis sonné. Tout cela me paraît totalement fou et je m'en ouvre au procureur. Réponse : « Je ne sais pas si c'est fou ou pas. Mais je voulais vous le dire. Voilà. Au revoir, monsieur Halphen. » Nulle parole de compassion, nul geste amical : la solidarité judiciaire.

Les jambes flageolantes, le cœur battant la chamade, je retourne à mon bureau ; un monde s'écroule. Après avoir appris la « bonne nouvelle » à ma greffière, je décide d'appeler le procureur général près la cour d'appel de Paris, Jean-François Burgelin, qui accédera plus tard au poste envié de procureur général près la Cour de cassation. Il me confirme la garde à vue de mon beau-père, me donne quelques précisions. Je n'ai pas grand-chose en commun avec M. Burgelin, qu'il s'agisse des amitiés ou des idées. Mais je lui saurai toujours gré de s'être bien comporté avec moi ce jour-là ; en humain. « Cela va être dur pour vous, me dit-il. Il va falloir que vous soyez fort. » Même si, en conclusion, il ajoute qu'il ne voit pas vraiment comment je pourrais éviter de me dessaisir de mon dossier. Réaction similaire du côté du président du tribunal de

Créteil, Jean-Paul Collomb, lorsque je vais le voir. « Vous avez toute ma sympathie, Éric. Mais honnêtement, je ne pense pas pouvoir faire autrement que de vous dessaisir. » Le conformisme judiciaire.

J'apprends peu à peu les détails de cette affaire rocambolesque. Il en ressort que le Dr Jean-Pierre Maréchal, psychiatre à l'hôpital américain, est en relation de longue date avec Didier Schuller, puisqu'il a comme patientes sa femme légitime et sa mère. Il fréquente aussi le conseiller général par le biais de la franc-maçonnerie (au sein de la GLNF).

Bien qu'il soit comme moi fumeur de pipe, amateur de musique classique et de bons vins, je n'ai jamais estimé mon beau-père, son goût pour l'argent exhibé, les voyages luxueux, la frime. Mais nous avions des rapports que je qualifierais de « corrects », nous voyant sept ou huit fois par an, devisant de banalités familiales. Dans le livre qu'il écrira plus tard sur sa mésaventure, il racontera beaucoup de mensonges. Il y fera part également de la déception qu'il aurait éprouvée en apprenant que sa fille allait épouser un juif…

Selon Didier Schuller, Jean-Pierre Maréchal lui aurait proposé de me neutraliser, assurant avoir une sorte de « maîtrise » parfaite de son gendre, en échange d'un « biscuit », une somme d'un million de francs. Moyennant quoi, il se faisait fort de stopper toute la partie de mon enquête dirigée vers les Hauts-de-Seine.

Ce n'est qu'une version de l'histoire. Une autre lecture de ces événements est tout aussi plausible. Didier

Schuller aurait pu recevoir de ses amis des Hauts-de-Seine – à l'époque, le ministre de l'Intérieur était Charles Pasqua, président du conseil général des Hauts-de-Seine – la mission de prendre contact avec Jean-Pierre Maréchal, en utilisant le goût de l'argent du médecin. On se rend très bien compte, à la lecture des retranscriptions d'écoutes téléphoniques, que Schuller relance en permanence mon beau-père sur le sujet. Plus tard, l'un de mes amis magistrats me dira que ses propres contacts au sein des Renseignements généraux lui avaient confié avoir recherché un « maillon faible » dans mon entourage. Ce maillon faible, c'était lui. Il s'est empressé de marcher dans la combine.

Quoi qu'il en soit, Schuller accepte la proposition de Maréchal. Et porte plainte pour extorsion de fonds auprès de ses amis du ministère de l'Intérieur. C'est donc sous la surveillance étroite de la police que vont se dérouler les derniers actes de l'opération. Le rendez-vous fatidique est fixé par téléphone, alors que mon beau-père est en vacances aux Antilles. La remise de l'argent doit avoir lieu à sa descente d'avion, à l'aéroport de Roissy. Au jour dit, Schuller est là, une boîte de cigares à la main. Dans le coffret de bois, un million de francs en billets tout droits sortis de la Banque de France. Ce sont les policiers des stups qui ont fourni la somme. Car, curieusement, le directeur central de la Police judiciaire, Jacques Franquet, a confié la plainte de Schuller à l'office des stupéfiants. Et non à un service spécialisé en matière financière, comme c'est le cas pour toutes les affaires d'extorsion de fonds.

Dès que mon beau-père a en main la fameuse boîte, les policiers lui tombent dessus et l'interpellent en flagrant délit. Autre originalité policière de l'opération, au lieu de l'embarquer pour leurs locaux de Nanterre, les enquêteurs des stups placent le suspect en garde à vue… place Beauvau, au ministère de l'Intérieur. Dans les Hauts-de-Seine, les bouchons de champagne sautent. « On l'a bien eu ! » Le petit juge. Moi.

Tout de suite, la rumeur se répand : je serais le destinataire du million. Des hommes politiques courent les salles de rédaction pour accréditer cette fable. Certains avocats ne sont pas en reste, utilisant leurs contacts habituels chez les journalistes pour faire gober ce mensonge.

Au soir de cette incroyable journée, je suis certain de perdre mon dossier. Le dessaisissement n'est sans doute qu'une question d'heures. Mais surtout je suis bouleversé. Je n'ai fait que mon travail. Je n'ai jamais commis la moindre malhonnêteté. Et je vais passer désormais pour le juge ripoux. Au point d'envisager sérieusement, cette nuit-là, de démissionner. Sans parler du reste, l'éclatement de mon couple.

Dans les jours qui suivent, tout change. Je reçois, à mon grand étonnement, un soutien de poids. Un coup de téléphone de l'AFP m'apprend qu'une réunion s'est tenue à l'Élysée, entre le président François Mitterrand et son premier ministre Édouard Balladur. Les deux plus hauts personnages de l'État se sont rencontrés pour parler de l'affaire. Le Président décide de saisir le Conseil supérieur de la magistrature, afin de vérifier s'il n'y a pas eu une tentative d'entrave à mon indépendance. Je suis content. Même si je me fais peu d'illusions sur cette main tendue depuis le sommet de l'État : il s'agit certainement plus de gêner la droite, en pleine période de cohabitation et en vue d'échéances électorales, que de sauver un juge. Plus tard, lorsqu'il ne sera plus président, j'envisagerai d'envoyer un mot de remerciements à François Mitterrand. Je n'ai jamais osé.

En tout cas, ma hiérarchie ne tarde pas à prendre le train en marche. Le président Collomb me fait part de son soutien, et de celui de la première présidente, Mme Myriam Ezraty. « Nous sommes derrière vous. Je ne vous dessaisirai jamais. » Je respire mieux.

Je serai convoqué, en janvier 1995, devant le CSM réuni en formation plénière. Une grande salle, une douzaine de personnes en face de moi, à qui je devrai raconter l'affaire et dévoiler certains pans de ma vie privée. Difficile moment d'émotion, à l'issue duquel je sortirai non seulement lavé de tout soupçon, mais couvert d'éloges.

Toute la procédure judiciaire concernant cette affaire sera annulée, au motif d'une provocation des services de police. Mon beau-père ne sera jamais poursuivi. Didier Schuller non plus, dans le cadre de ce dossier. Nul juge ne sera désigné pour rechercher les commanditaires de cette manipulation ayant pour seul but de me porter atteinte. Il faudra attendre le retour de Schuller en février 2002 pour lire dans une interview accordée au *Monde* que ceux-ci auraient pour nom Patrick Balkany et Charles Pasqua, avec le consentement d'Édouard Balladur. Mais Schuller est-il crédible à cent pour cent ? En tout cas, ces commanditaires auront au moins partiellement touché au but. Après ces péripéties, il me paraît totalement impossible de continuer à enquêter dans les Hauts-de-Seine. Je sais que je devrais passer la main sur ce volet du dossier. L'occasion va se présenter plus vite que je ne le pense.

Quelques semaines seulement se sont écoulées lorsque je reçois un coup de fil anonyme. Le mystérieux correspondant m'avise d'une réunion importante, « en relation avec votre enquête sur des offices HLM », dans un hôtel de Nogent-sur-Marne. Il précise des noms, un modèle de voiture. Et conclut, avant de raccrocher : « Je vous conseille d'y aller. » Je confie cette mission aux policiers qui travaillent avec moi. Bonne pêche. Dans le restaurant de l'hôtel, ils interpellent une chef d'entreprise et un ami de Didier Schuller, membre de l'Office HLM des Hauts-de-Seine. L'homme est en possession d'une enveloppe vide, sur laquelle figure une liste de marchés, assortis de pourcentages et de sommes, pour un total de 50 000 francs. La chef d'entreprise a dans son sac 50 000 francs en liquide. Les policiers découvrent également des contrats de prêts venant d'institutions financières suisses, établis au nom de Christel Delaval. Grâce à ce flagrant délit, une information judiciaire est ouverte à Créteil. Je peux me dessaisir du dossier des Hauts-de-Seine, en le transmettant au collègue chargé d'instruire l'histoire du rendez-vous de Nogent. Mais l'amertume, elle, ne partira jamais.

La peur

Pour la première fois de ma vie de juge, j'ai peur. Ce sentiment glacial, poisseux, s'insinue dans mon quotidien. Un sentiment qui se nourrit du moindre mot, geste ou détail, parfois insignifiant. Au point que même les paroles de réconfort deviennent autant d'alarmes. Au plus fort de l'affaire, le premier président Myriam Ezraty me convoque dans son bureau. Elle tient à me demander de faire attention, et me propose de prendre sa voiture de fonction afin que je n'utilise plus mon propre véhicule, sans doute repéré. L'intention est louable. Je décline l'offre généreuse, mais je sors de son bureau plus inquiet que je n'y suis entré.

Je refuse également la protection policière. Protection veut aussi dire surveillance. Je ne tiens pas à ce que le ministère de l'Intérieur soit au courant de tous mes faits et gestes. De plus, j'estime que si on veut tuer un juge, la présence de gardes du corps ne change rien. Il n'existe aucun dispositif efficace à 100 % et 24 heures sur 24. Il n'est pas très difficile, pour des professionnels, de trouver la faille. Il suffit alors d'un bon tireur sur une moto ou d'un habile poseur de bombe pour en finir.

La pression vient de partout. Des « amis » de mes parents journalistes téléphonent pour leur dire que je dois faire attention, que je suis aux prises avec des gens très dangereux. Je ne sais pas de quels gens ils parlent. Mais mes parents sont eux aussi gagnés par l'inquiétude.

À l'époque, j'habite un immeuble du treizième arrondissement de Paris. Chaque matin, je descends au sous-sol pour prendre ma voiture dans le parking. Je demande aux enfants d'attendre dans un couloir, à l'abri, que j'aie donné le premier coup de démarreur. Lorsque le moteur tourne normalement, et seulement à ce moment-là, ils peuvent me rejoindre. Je veux juste être sûr qu'ils ne se trouveront pas dans la voiture au moment de l'explosion. La peur, elle, disparaîtra le jour où je réaliserai ceci : la mort, c'est seulement un bref mauvais moment à passer.

Cette période difficile de ma vie n'a pas échappé à un commerçant avisé. Un fabricant de vêtements m'a en effet envoyé un courrier, quelques années plus tard, pour m'offrir son dernier modèle de veste pare-balles. Une protection, selon le prospectus, efficace contre tout type de projectiles, sous l'apparence anodine d'un simple veston. En échange de ce cadeau, le fabricant ne demandait qu'une toute petite chose. Que j'accepte de figurer sur quelques photos publicitaires, sa veste sur le dos…

Les écoutes

Une autre façon de déstabiliser un juge est de le mettre sur écoutes. Cela permet de savoir ce qu'il fait, qui il fréquente, quels sont ses pensées et ses projets.

Mais aussi, en lui faisant habilement comprendre qu'il est écouté, de l'inquiéter, de le mettre sous pression.

Affirmer que l'on a été soi-même écouté apparaît presque comme une sorte de vantardise. Ou comme une preuve de paranoïa. Je ne crois pas relever de ces deux catégories. Mais je le dis clairement : j'ai été victime de cette pratique. Je n'en ai aucune preuve matérielle. En revanche, je dispose de suffisamment d'éléments pour ne pas en douter.

Certains concernent ma vie privée. Pour comprendre la suite, je dois – à contrecœur – en dire quelques mots. Un jour, une journaliste que je ne connais pas me téléphone. Elle s'appelle J., travaille pour un grand quotidien et a en main les procès-verbaux d'audition de mon beau-père durant sa garde à vue. Ces documents, couverts par le secret de l'instruction, lui ont été remis par un homme politique RPR. Si je souhaite les lire, elle est prête à me les montrer. Notre rencontre sera le début, passé quelques semaines, de notre liaison.

Pendant deux semaines, nous restons extrêmement discrets. Pas de sortie, pas d'apparition publique. Malgré cela, le bruit commence à circuler dans Paris. Au point que Jacques Chirac appelle directement l'un de ses amis journalistes pour lui demander : « Alors, elle est comment, J., la copine d'Halphen ? »

Un jour, je suis au téléphone avec J., moi dans une cabine, elle à son domicile. Elle me parle de l'un des sujets sur lesquels elle travaille, ajoutant que des policiers lui ont conseillé de se renseigner auprès du juge qui instruit cette affaire. Je lui réponds que je trouve cela gonflé, de la part des policiers. À ce moment-là, quelqu'un intervient dans notre conversation, de façon extrêmement claire, comme s'il disposait lui aussi d'un combiné. Et la voix dit : « Tu as raison, c'est comme ça qu'il faut travailler. »

Nous sommes muets de stupeur. Interloqués. J. intervient la première. « Tu as entendu ? – Oui, j'ai entendu. Qu'est-ce que c'est que cette histoire ? » Et là, l'inconnu sur la ligne répète : « Je disais que c'est comme ça qu'il faut travailler. »

La manœuvre me semble claire. On veut me faire comprendre que je suis sur écoutes. Mais s'agit-il d'un « sympathisant », qui le fait de sa propre initiative, pour m'alerter et m'aider ? Ou de l'un de mes « ennemis » cherchant au contraire à m'inquiéter ?

J. est témoin d'une autre bizarrerie, alors qu'elle discute avec l'un de ses amis. Elle et son interlocuteur entendent clairement au beau milieu de leur conversation une voix dire : « Putain, y a plus de bande. » Sans commentaire.

Parfois, la ligne est mauvaise, très brouillée. Un soir que la communication est particulièrement parasitée, au point que J. et moi devons presque hurler pour nous entendre, une voix demande brusquement : « Je voudrais poser une question au représentant du mouvement gaulliste. » Curieux, non ?

Agacée, J. s'en va raconter ces mésaventures téléphoniques à Paul Bouchet, le président de la Commission nationale des interceptions de sécurité, organisme chargé de veiller au bon respect des règles et procédures en matière d'écoutes. Lequel prend les choses au sérieux, et lui conseille de jeter un œil à l'endroit où arrivent les branchements de téléphone de son immeuble. Ce qu'elle s'empresse de faire. Pour constater, une fois devant l'armoire métallique placée dans les sous-sols, que celle-ci… a été forcée.

Méfiant mais sans doute naïf, je pense avoir trouvé une parade en prenant un abonnement de téléphone portable au nom de ma greffière, Christine Dufour. Peine perdue. Quelques jours après la mise en service de la ligne, le téléphone sonne dans la voiture. Je décroche. « Monsieur Dufour ? » Oui. « Ici SFR, on voulait juste savoir si vous êtes content de votre abonnement et si tout va bien. » Touchante, cette sollicitude. Autre appel, quelque temps plus tard. Je suis encore en voiture, avec mes enfants cette fois. Je décroche. « Éric ? – Oui. Qui êtes-vous ? – C'est Johnny. » Et mon correspondant raccroche. Inutile de préciser que je ne connais pas de Johnny. Mais on m'a bien fait comprendre que la ruse était éventée. Et que, sans doute, ce téléphone était lui aussi écouté.

Un jour, un inconnu m'aborde à la cafétéria du tribunal de Créteil. « Vous êtes le juge Halphen ? – Oui. » L'homme m'entraîne un peu à l'écart et m'explique. Il gagne sa vie en louant des camions équipés de matériel de transmission hertzienne. Ses clients habituels sont la SFP, pour les retransmissions télévisées, ou l'Institut national de l'audiovisuel. Mais il a été contacté par une société de surveillance qui voulait un camion « pour écouter un juge ». L'inconnu, qui aurait compris dans la conversation qu'il s'agissait de moi, a refusé le marché et tient juste à me prévenir. Message sincère, ou mise en scène pour maintenir autour de moi ce climat permanent d'insécurité ? Mystère.

Bien sûr, je parle un peu dans mon entourage de ces phénomènes étranges. Si bien qu'un beau jour je vois débarquer dans mon bureau un petit groupe de policiers de Créteil menés par un commissaire. « Puisque vous vous plaignez, on va bien voir », disent-ils en sortant un appareil de détection de micros. Le commissaire me montre les deux cadrans dont est munie la machine. « Si les aiguilles bougent, c'est qu'il y a quelque chose. » L'inspection commence. Jusqu'au moment où les deux aiguilles se mettent à danser la gigue. Embarras des policiers qui se défilent. « On ne sait pas ce que cela signifie. On reviendra demain avec du matériel plus sophistiqué. » Évidemment, ils ne sont pas revenus. Lorsque je les appelle, une semaine plus tard, j'ai droit à une explication lumineuse. Après s'être renseignés, mes chasseurs de micro-espion ont appris que le signal enregistré par leur détecteur était dû à… l'autoroute voisine. Bien sûr.

Certains sceptiques pourront peut-être douter. Quant à moi, j'estime plutôt troublant l'ensemble de ces éléments. Assez en tout cas pour affirmer que j'ai été écouté à plusieurs reprises. J'en ai été plus révolté que meurtri.

Est-il normal, en démocratie, qu'un juge soit ainsi écouté pendant des semaines pour la simple raison qu'il fait son travail, qu'il enquête sur une affaire touchant aux amis de ceux qui sont au pouvoir ? Que beaucoup de gens en soient informés sans réagir ? J'ignore quel service exactement m'a écouté – des policiers de la Préfecture de police se fendront un jour d'un communiqué niant toute implication dans les éventuelles écoutes me concernant –, et qui avait donné les ordres. Mais ma foi en la démocratie de notre pays en a été très ébranlée.

Les filatures

Qui dit écoutes dit bien souvent filatures. Je ne crois pas avoir été une exception à cette règle. Une revue d'un syndicat de policiers a un jour publié un petit écho faisant état de mes rencontres avec J. dans les rues de l'île Saint-Louis. Un « journaliste » qui travaille beaucoup avec certains services de police a même écrit un livre sur les Renseignements généraux. Livre dans lequel il se vante de m'avoir suivi plusieurs fois et d'avoir conté par le menu le résultat de ces filatures à des policiers.

Et puis il y a le « corbeau ». Un mystérieux informateur se manifeste à plusieurs reprises dans mon dossier, par la voie de lettres anonymes. Ces courriers, parfois drôles, parfois narquois, sont accompagnés de « blancs » des Renseignements généraux, des notes écrites sur papier sans en-tête et non signées, pour ne pas être identifiables, en général bien informées et uniquement destinées à un usage interne.

La commissaire principale des RG Brigitte Henri, chargée des enquêtes sur les affaires financières, fréquentera mon bureau à quatre ou cinq reprises. Reconnaissant que ces blancs présentent beaucoup de similitudes avec les siens, elle en contestera pourtant l'authenticité. Officiellement... Tout en affirmant que, peu de gens ayant accès à « ses » blancs, le corbeau ne devait pas se trouver très loin, soit de son service, soit de l'entourage de l'ancien ministre de l'Intérieur Charles Pasqua. On n'en saura jamais plus. Comme il me l'a écrit, le corbeau est depuis « retourné dans les eaux marécageuses de la politique ».

Il ne s'est pas contenté de diffuser des informations prises au plus haut niveau, ce corvidé. Il savait aussi aller sur le terrain. En atteste la lettre qu'il glisse un jour sous le pare-brise de ma voiture, garée non loin du domicile de J. Il fallait le savoir. Ou celle dans laquelle il me demande comment s'est passée la soirée au Parc des Princes avec mon fils. J'y étais. Mais sans mon fils. Même un bon corbeau peut avoir des faiblesses...

Les « bruits »

Ils ne sont pas d'une grande utilité, les bruits qui courent sur les juges. Ce ne sont pas eux qui vont supprimer les charges, faire taire les éventuels témoins, freiner les ardeurs. Mais ils ont un but : décrédibiliser. Di Pietro, en Italie, en a un jour fait les frais.

Quels bruits ont donc circulé à mon propos ? D'abord, que j'aurais fait faire des travaux au noir dans mon appartement, par un pauvre TUC travaillant au tribunal. L'histoire a eu assez de succès pour se retrouver rapportée dans quelques livres, au hasard de passages traitant de mes affaires. Des avocats m'en parleront. Et le procureur de Créteil finira par poser la question à Marc Brisset-Foucault. « Halphen, il est locataire ou propriétaire ? »

Après l'argent, le sexe. Un jour, un hebdomadaire d'extrême droite raconte que j'aurais eu une aventure avec la sœur d'un de mes témoins. Cette jeune femme, convoquée une fois dans mon bureau, je ne l'avais pourtant jamais revue. Rien d'équivoque ne s'étant passé, pourquoi ce bruit sur elle et non pas sur une autre ? À force de chercher, j'ai fini par découvrir l'origine de cette rumeur. De permanence un samedi, j'avais été contacté par un policier de garde au tribunal qui m'avait appris qu'une femme, cette femme, voulait me joindre en urgence à propos de son frère. Il m'avait communiqué son numéro de téléphone, et je l'avais appelée. De ma ligne personnelle. Candeur impardonnable : le bruit malsain provenait de l'étude attentive de mes listings téléphoniques...

D'ailleurs, ce même hebdomadaire avait publié quelques semaines auparavant un article sur mes « méthodes ». J'avais découvert dans tout Paris des affichettes vantant ce prétendu scoop. Je m'étais étonné de cette débauche de moyens pour un journal proche du dépôt de bilan. En écho à mes interrogations, l'un de ses responsables m'avait appelé, indigné, pour m'apprendre que l'article en question avait été entièrement rédigé au RPR, puis livré « clé en main » pour publication. Selon mon interlocuteur, c'est le même parti qui avait financé la campagne d'affichettes.

Vie privée (suite)

L'été 1995, je pars en vacances avec J. en Guadeloupe. À mon retour, j'apprends que des photos de nous deux, sur la plage, ont été prises. Dans une optique bien précise. D'après mes informations, tout a été fait pour qu'un tabloïd anglais publie l'un de ces clichés, pour le faire ensuite reprendre dans un journal français du groupe Hachette, accompagné d'un commentaire faussement scandalisé du genre « Regardez ce que les journaux anglais publient sur l'un de nos juges ». But de la manœuvre, encore une fois, me dévaloriser aux yeux de l'opinion. Voilà un juge qui prétend respecter le secret de l'instruction et qui passe ses vacances avec une journaliste. À cette époque, un avocat proche du RPR croise J. et lui demande d'un ton narquois : « Alors, c'était bien, ces vacances aux Antilles ? » Oui, c'était bien.

Quelques années plus tard, ces photos refont surface. Dans son témoignage posthume en vidéo, rendu public en octobre 2000, Jean-Claude Méry fait allusion à ma liaison avec J., laissant entendre qu'elle aurait violé pour moi le secret de l'instruction en racontant à d'autres journalistes ce que je lui aurais confié. Il évoque également les photos, donnant assez de détails pour montrer qu'il les a vues.

Une bombe à retardement pour saborder mon instruction ? Méry avait peut-être envisagé que cette cassette tombe un jour entre mes mains. Auquel cas j'étais obligé d'en porter la retranscription intégrale dans mon dossier. Et permettre alors à certains avocats de demander mon dessaisissement.

La sortie de la cassette Méry donne l'occasion à un journal, appartenant lui aussi au groupe Hachette, d'un petit retour en arrière. Le journaliste raconte que j'ai été suivi et que des photos de moi ont été prises. Et un tout petit avocat du RPR profite de l'ambiance pour faire le tour des salles de rédaction, tentant d'inciter les uns et les autres à publier les photos. Bref, cette fois, le fait que j'aie été suivi et photographié est rendu public. J'attends toujours que le Garde des sceaux entame des poursuites pour atteinte à la vie privée de l'un de ses juges. Qu'un juge soit suivi pendant ses vacances, cela encore, tout le monde s'en moque.

Je n'ai évoqué ici que certains des coups tordus rencontrés sur ma route dans le cadre de l'affaire des HLM de Paris. Ceux que j'appellerais les coups tordus non institutionnels, en dehors de tout ce que l'on peut faire de façon plus « régulière », au niveau de la Justice et de la Police. Il ne s'agit également que des coups dont j'ai pu avoir connaissance. Je ne sais pas si d'autres initiatives ont été prises, sans que je le sache ni qu'elles aboutissent.

Enfin, je voudrais dire ici quelques mots sur la façon de vivre, lorsque l'on se retrouve plongé dans une ambiance digne d'un mauvais polar. L'une de mes premières tentations, au tout début des ennuis, a été de me méfier de tout. Inquiet à chaque coin de rue, méfiant envers chaque inconnu qui s'approche, ne sortant plus.

Puis j'ai décidé de m'en moquer et de vivre normalement. De sortir quand j'en avais envie. De prendre ma voiture sans scruter le rétroviseur pour voir si j'étais suivi.

A posteriori, je pense que cela a été pour moi la seule façon de rester moi-même, de pouvoir continuer à travailler normalement sans me trouver embarqué dans les à-côtés du dossier. De ne pas perdre la tête.

Reste que, compte tenu de la nature des faits que j'instruisais, je ne pouvais pas m'attendre à beaucoup de cadeaux. Avec l'affaire des HLM de Paris, j'avais un dossier visant le RPR et la mairie de Paris, à un moment où le RPR était le parti de gouvernement. J'enquêtais de ce fait directement sur le parti de mes deux ministres de tutelle, Intérieur et Justice. Il était inévitable que l'on tente, en haut lieu, de prendre quelques précautions, d'une part pour connaître les intentions du juge, et d'autre part pour se sortir d'ennuis éventuels. Avec les moyens en hommes et en matériel que donne le fait d'être au gouvernement.

7.
Un peu de droit…

> Le Code pénal est le code des honnêtes gens. Le Code de procédure pénale est celui des truands.
> Adage.

Il peut arriver que le juge résiste aux tentatives de déstabilisation. Si les coups tordus, les refus systématiques de réquisitoires supplétifs du parquet ou les mutations des policiers qui travaillent trop bien avec lui n'arrêtent pas son enquête. Si les rumeurs les plus salissantes ou les manipulations de l'opinion publique ne suffisent pas, il reste un ultime recours : tenter d'obtenir l'annulation de la procédure. Cette arme, dont les avocats usent sans modération, est d'une redoutable efficacité. Certes, elle ne fait pas mouche à tous les coups. Il y a beaucoup de recours et peu d'annulations. Mais lorsque la mèche prend, le pétard est dévastateur. Non seulement il ruine tout ou partie du dossier, réduisant à néant des mois voire des années de travail ; mais de plus il permet de faire passer le juge pour un médiocre professionnel. Certains avocats ne se gênent pas en effet pour se répandre dans les couloirs des palais de justice ou dans les salles de rédaction sur ces annulations, preuves de l'insuffisance technique de ce juge.

En poste depuis dix-huit ans, je suis l'un des plus anciens juges d'instruction de France. J'ai rencontré dans ma carrière bon nombre de cas difficiles au niveau de la procédure. J'ai eu à affronter beaucoup de problèmes nouveaux, souvent inédits. Je me suis frotté à des bataillons d'avocats, soi-disant extrêmement bons procéduriers. Je crois que tout cela a fait de moi un honnête praticien de la procédure. C'est du moins ce que pensent certains de mes collègues, parmi les plus expérimentés et les plus réputés. Sinon, pourquoi se donneraient-ils la peine de m'appeler pour me demander mon avis sur tel ou tel point de procédure ? Je me souviens encore fort bien de ce coup de téléphone d'un conseiller de la chambre d'accusation, vantant la façon dont j'avais instruit un dossier difficile et qui m'avait demandé l'autorisation de diffuser à l'ensemble des juges d'instruction de la cour l'une de mes confrontations, qu'il trouvait exemplaire. J'ignore s'il l'a fait, mais cet appel m'avait rassuré, me montrant qu'on savait apprécier ma technicité.

Jusqu'à ce que je sois en charge du dossier des HLM de Paris, je n'ai jamais été infirmé, à une ou deux exceptions près, par une chambre d'accusation. Certains diront qu'à ces époques passées les chambres ne faisaient pas réellement leur travail et qu'elles n'avaient pas le temps de lire les dossiers. J'ai la prétention de soutenir que c'est aussi parce que mes dossiers étaient normalement instruits, dans le respect scrupuleux de la procédure pénale. Mais dès que l'affaire des HLM m'est arrivée, les choses ont changé. J'ai vu des avocats surgir dans mon bureau en se vantant d'avoir déniché dans le dossier de multiples erreurs de procédure. Sans jamais pouvoir m'en citer une seule. C'était une sorte de guerre des nerfs que ce leitmotiv de l'erreur, un combat d'usure destiné encore une fois à me déstabiliser.

Je dois reconnaître aujourd'hui que si la majeure partie de mon dossier sur les HLM a été validée, certaines décisions des chambres d'accusation m'ont été défavorables. Et ont entraîné l'annulation de certains de mes actes.

Je tiens ici, sinon à critiquer les décisions des chambres, tout simplement parce que je n'en ai pas le droit, du moins à rectifier certaines interprétations de ces arrêts. Et donner la mienne.

La procédure

Il est évident que si l'on ne donnait aucun garde-fou au juge d'instruction, il serait libre d'agir à sa guise. Y compris, compte tenu de ses pouvoirs, de porter atteinte parfois gravement à la vie de certains suspects, et d'accomplir des actes au gré de son bon vouloir de façon éventuellement irrégulière. Ce garde-fou, c'est la procédure qui en tient lieu. Chaque acte que peut accomplir le juge est réglementé, délimité et circonscrit par les textes. À chaque étape d'une enquête correspondent des règles à respecter.

Ainsi, le juge doit toujours signer l'original des commissions rogatoires qu'il envoie aux policiers. Ce qui paraît la moindre des choses. Il doit respecter des délais précis : cinq jours à l'avance pour avertir l'avocat d'un mis en examen d'une audition ou d'un interrogatoire, tous les quatre mois pour renouveler un mandat de dépôt, etc. Il est évident que si un juge oublie de faire prolonger un mandat de dépôt dans le délai légal, la personne détenue pourra être remise immédiatement en liberté. Encore une fois, c'est normal. Il y a des règles, le juge censé faire respecter la loi se doit de se les appliquer à lui-même.

Mais la procédure pénale n'est pas une science exacte. Comme toute règle de droit, comme toute analyse juridique, elle peut faire l'objet de multiples interprétations. La Cour de cassation, chaque fois qu'elle est saisie d'un problème, demande au conseiller rapporteur de rédiger un arrêt dans un sens, un arrêt dans l'autre, puis vote pour déterminer lequel des deux projets sera retenu. Cela montre qu'avec le même dossier et les mêmes règles de droit, des juristes éclairés peuvent développer deux thèses totalement contraires avec à chaque fois des arguments convaincants.

On l'a d'ailleurs bien vu au moment où j'ai convoqué le chef de l'État pour l'entendre en tant que témoin dans mon dossier des HLM. Des constitutionnalistes réputés des deux bords ont débattu avec ardeur et conviction. Pour les uns, le président de la République était à l'abri de toute intervention judiciaire, au moins tant qu'il était en fonction. Pour les autres, aucun texte ne réglementant son cas, un juge du siège pouvait tout à fait l'entendre comme témoin.

De fait, pour régler les éventuelles difficultés dans une procédure, le juge d'instruction a au-dessus de lui ce que l'on appelait avant la chambre d'accusation, devenue tout récemment la chambre de l'instruction. Il s'agit d'une formation de la cour d'appel, composée de trois magistrats, et qui est saisie soit par un avocat qui estime que le juge n'a pas respecté la loi ou qui conteste un de ses actes, soit par le parquet qui peut ainsi faire appel des décisions du juge, sur une remise en liberté ou un maintien en détention par exemple.

On pourrait supposer que ces magistrats de la cour d'appel, étant plus anciens et plus expérimentés, supérieurs hiérarchiquement au juge d'instruction, sont plus compétents que lui. C'est vrai parfois. Mais malheureusement, c'est aussi souvent l'inverse. J'ai rencontré beaucoup de membres de chambres d'accusation qui n'avaient pas une grande compétence. L'une des réformes, simple et gratuite, que l'on pourrait envisager serait d'imposer aux présidents de chambre d'accusation de faire au moins un passage dans leur carrière à un poste d'instruction. Pour qu'ils sachent de quoi ils parlent. Ce n'est pas le cas actuellement. On peut trouver dans ces formations des magistrats qui s'occupaient auparavant de droit commercial, de droit du travail, des affaires civiles ou des enfants. J'ai eu la surprise d'avoir un jour au téléphone un président de chambre d'accusation à qui j'ai dû expliquer pendant une demi-heure quelle était la différence entre des scellés, actes faits par un policier pour garder sous main de justice une pièce à conviction, et une cote, dite également annexe, par exemple un relevé de compte qui parvient à la police mais qui n'est pas saisi lors d'une perquisition.

J'ai participé à plusieurs reprises, dans les différents postes que j'ai occupés, à des réunions entre juges d'instruction et présidents de chambre d'accusation. Très franchement, à deux exceptions près – Hector Milleville, à Douai, et Martine Anzani, à Paris –, je n'ai trouvé que des présidents incapables de répondre de façon précise et argumentée aux questions soulevées par mes collègues et moi.

J'ai remarqué, tant au cours de ces réunions que lors de coups de téléphone passés pour avoir un avis, que les présidents de chambre montrent toujours une extrême prudence. Lorsque l'un d'eux consent à émettre une opinion, il s'empresse aussitôt de l'assortir de réserves, en précisant qu'il ne s'agit que de son avis personnel. Et que si le problème était posé très officiellement à la chambre, ils seraient trois à décider et qu'ils ne seraient en aucun cas tenus par ce premier avis oral.

Après ce long préambule, venons-en aux faits.

Première annulation : la perquisition Tiberi

La perquisition effectuée au domicile de Jean et Xavière Tiberi, à Paris, a été transmise au parquet d'Évry. Là, profitant des vacances de son supérieur, le procureur adjoint Hubert Dujardin a ouvert une information. Le juge d'instruction en charge du dossier a mis en examen Xavière Tiberi pour « emploi fictif et détournement de fonds publics ». Il s'apprêtait également, c'est du moins ce que l'on m'a dit, à mettre Jean Tiberi en examen pour « recel de détournement de fonds publics », puisque l'argent versé par le conseil général de l'Essonne en contrepartie du rapport sur la francophonie avait abouti sur un compte bancaire commun aux deux époux. Les avocats des Tiberi ont alors saisi la chambre d'accusation de Paris en demandant l'annulation de la perquisition que j'avais conduite, et ce pour différents motifs.

J'ai discuté à plusieurs reprises avec l'un de ces avocats. Il m'a confié très franchement avoir déposé cette requête sans trop y croire, ayant été le premier surpris par la décision rendue. Lui-même estimait en effet que, juridiquement, l'annulation n'était absolument pas encourue.

Je ne vais pas ici examiner chacun des attendus. L'énumération serait trop fastidieuse pour des non-juristes. Mais il me paraît intéressant d'insister sur un ou deux points qui ont fondé la décision d'annulation de la chambre d'accusation. Elle a ainsi noté que le procès-verbal de transport décrivant notre déplacement jusqu'au domicile des Tiberi ne se trouvait pas dans le dossier. Ce qui est faux. Tout simplement, ce PV de transport n'avait pas été transmis par le procureur de Créteil au procureur d'Évry. La chambre a également estimé qu'une ordonnance de transport hors ressort devait être motivée. Le Code de procédure pénale dit que le juge doit en effet avertir le parquet dont dépend le lieu où il se rend. Mais il ne s'agit que de préciser le lieu, et le motif de la visite, perquisition ou audition. Il n'y a selon le Code nul besoin de donner les motivations du déplacement au sens juridique du terme. Curieusement, et pour une raison qui m'échappe, la chambre d'accusation a pourtant reproché à cette ordonnance de ne pas avoir indiqué clairement les raisons juridiques pour lesquelles j'estimais nécessaire de faire cette perquisition. Ce qui semble totalement aberrant.

Autre point, le rapport de Xavière Tiberi. Il est de jurisprudence constante que lorsqu'un juge découvre au cours d'une perquisition une pièce à conviction qui n'est pas en elle-même constitutive d'une infraction, il a parfaitement le droit de la prendre. En revanche, lorsque ladite pièce constitue une autre infraction dont il n'est pas saisi, il n'a pas le droit de la prendre. Exemple. Un juge d'instruction enquête sur une affaire de stupéfiants. Lors d'une perquisition, il découvre des faux billets. C'est manifestement en soi la preuve qu'un délit de contrefaçon de monnaie a été commis. Mais le juge n'est pas saisi de cette infraction. Il n'a donc pas le droit de prendre les faux billets.

En revanche, il trouve lors de la même perquisition une paire de bottes rouges. Or l'un des témoins entendus dans son dossier lui a parlé d'une livraison de produits stupéfiants par quelqu'un qu'il n'avait pas identifié mais dont il avait remarqué les bottes en caoutchouc rouges. Les bottes ne constituent pas en elles-mêmes une infraction, mais elles sont un moyen de preuve de l'infraction dont le juge est saisi. Il peut donc les prendre.

Dans l'affaire qui nous intéresse, la chambre d'accusation fait un raisonnement en deux temps. Elle relève d'abord que le fameux rapport sur la francophonie de Xavière Tiberi ne constitue pas en soi une infraction. Je suis parfaitement d'accord. Mais elle en conclut que le juge n'avait donc pas le droit de saisir le rapport. Ce qui est contraire à toute la jurisprudence. Voilà la raison principale pour laquelle la chambre d'accusation de Paris a estimé que la saisie du rapport de Xavière n'était pas valide. Il y a évidemment d'autres raisons « annexes », avec lesquelles je ne suis pas davantage d'accord, mais il serait trop complexe d'entrer ici dans les détails. Toujours est-il que cet arrêt d'annulation a conforté le bruit que certains avocats faisaient courir sur mon compte et ce « costume » de mauvais procédurier que l'on voulait me tailler.

Pour en apprécier la valeur, il convient de rappeler que les décisions de la chambre d'accusation ne visaient que le dossier Tiberi ouvert à Évry. Dossier dans lequel figuraient une copie de ma perquisition et une copie du rapport de Xavière. En revanche, les originaux de ces documents n'ont jamais quitté mon dossier des HLM. Et là, les avocats des Tiberi se sont cassé les dents.

Quelques années après les annulations obtenues dans l'affaire d'Évry, ils ont en effet demandé de nouveau l'annulation des mêmes éléments, mais cette fois dans mon dossier des HLM, à l'occasion de l'examen général de la validité de ma procédure. Cette annulation, en vertu de la première décision, paraissait aller de soi. Pourtant, la même chambre d'accusation de Paris, présidée par le même magistrat, a validé la perquisition Tiberi antérieurement annulée. Que s'est-il passé entre-temps ? Soit le magistrat qui présidait a acquis un peu plus d'expérience. Soit il n'estimait plus politiquement souhaitable d'annuler. Résultat : la même perquisition, avec les mêmes demandes de nullité présentées par les mêmes avocats, devant la même juridiction, a été jugée mauvaise dans le dossier d'Évry, bonne dans le dossier de Créteil. Comprenne qui pourra...

Deuxième annulation : les salaires fictifs

Le patron de l'entreprise Les Charpentiers de Paris m'a envoyé un jour un courrier pour m'expliquer que deux secrétaires payées par sa société travaillaient en fait au RPR, faits dont je n'étais pas saisi. Je me suis tout de suite posé la question de savoir si je pouvais continuer à enquêter un tout petit peu sur cette affaire. La jurisprudence constante de l'époque établissait qu'un juge prenant connaissance de faits dont il n'est pas saisi pouvait poursuivre un temps son enquête à deux conditions : que son investigation soit faite uniquement pour apprécier la fiabilité des nouveaux éléments portés à sa connaissance, et qu'aucun acte de coercition (garde à vue, perquisition) ne soit effectué.

Respectant ces deux règles, qui étaient alors, je le répète, des règles quasi centenaires de la procédure pénale, j'ai donc décidé de faire entendre l'homme qui m'avait envoyé cette lettre, tout simplement pour vérifier qu'il en était bien l'auteur, pour qu'il confirme sur procès-verbal la teneur de son courrier et qu'il remette volontairement, sans perquisition, les fiches de paie et les contrats d'embauche des deux secrétaires. Le parquet m'ayant refusé le réquisitoire supplétif demandé, j'ai transmis la procédure en l'état au procureur de Créteil, qui l'a transmise au procureur de Nanterre, territorialement compétent, l'entreprise ayant son siège social à Bagneux, dans les Hauts-de-Seine.

Dès que ce dossier est arrivé à Nanterre, il y a eu instruction du ministre de la Justice de l'époque, Jacques Toubon, de saisir immédiatement la chambre d'accusation de la cour d'appel de Versailles pour statuer sur la validité de ma procédure. Le procureur de Nanterre, Yves Bot, a refusé d'exécuter ces instructions, estimant la procédure valable. C'est le Parquet général, se substituant au procureur récalcitrant, qui a saisi la chambre d'accusation. Laquelle, à ma grande surprise, a annulé une partie des actes, notamment l'audition du représentant des Charpentiers de Paris en affirmant que, n'étant pas saisi de ces faits, je n'avais pas le droit d'agir. C'est un revirement considérable des règles en vigueur.

C'est en tout cas à mon sens un bon exemple de cette « insécurité » procédurale qui règne sur les dossiers.

Pour des raisons juridiques ou des motivations purement politiques, la jurisprudence peut être modifiée sans préavis.

Troisième annulation : le volet Roussin, Halbwax, Pandraud

En octobre 1999, pensant être au terme de mon instruction, je notifie aux avocats le délai de 20 jours pendant lequel ils peuvent adresser leurs demandes d'actes supplémentaires et leurs requêtes en annulation. Évidemment, comme je m'y attendais, une véritable avalanche de demandes de nullité s'abat sur mon dossier. En gros, une vingtaine, concernant tous les volets de la procédure, certaines demandant même l'annulation de l'intégralité du dossier.

Toutes ces demandes, sauf une, ont été rejetées. La seule qui a été accordée par la chambre d'accusation a entraîné, curieusement, la nullité de plusieurs mises en examen importantes, celles de MM. Halbwax, Pandraud et Roussin, ainsi que d'une centaine de procès-verbaux.

Un procès-verbal relatant une information anonyme est à l'origine de cette annulation.

Je reçois un jour une information selon laquelle l'argent des sociétés de Francis Poullain allait dans les caisses de formations politiques. Cette information citait également nommément les trois personnes dont je viens de parler. J'avais deux solutions. Soit je gardais ces éléments pour moi, dans un coin de ma tête, sans les verser au dossier. Soit je les relatais sur procès-verbal pour les mettre au dossier. Choix que j'ai fait pour respecter les droits de la défense. Et que n'auraient peut-être pas fait bon nombre de mes collègues, il n'est pas inutile de le préciser. J'ai estimé qu'à partir du moment où j'avais reçu une information sans doute importante, il me paraissait honnête que les avocats et toutes les parties puissent en être informés.

Les avocats ont donc demandé l'annulation de ce procès-verbal au motif qu'il était anonyme. La chambre d'accusation ne l'a pas annulé. En revanche, elle a considéré qu'il relatait des faits dont je n'étais pas saisi, et qu'en conséquence j'aurais dû demander un réquisitoire supplétif.

Ce n'est pas mon analyse. D'abord parce que s'engager dans cette voie et exiger d'adosser un acte juridique comme le réquisitoire supplétif à une information anonyme, c'est ouvrir la porte à toutes les manipulations. Y compris les « automanipulations ». Il suffirait en effet à un juge d'instruction voulant se saisir d'une infraction de s'envoyer une information anonyme et de demander ensuite un supplétif. Ce serait à la fois curieux juridiquement et très dangereux.

Mais surtout, l'information anonyme qui m'était parvenue recoupait totalement ma saisine. Il ne s'agissait en rien de faits nouveaux, mais au contraire de preuves nouvelles sur des faits dont j'étais saisi. Je rappelle qu'au départ, je suis saisi de recel d'abus de biens sociaux sur les sociétés de Francis Poullain. Et que me dit cet informateur anonyme ? Que l'argent de ces sociétés n'allait pas seulement dans les caisses d'une société à Monaco et d'une autre en Côte-d'Ivoire, mais également dans d'autres mains. Il s'agit donc bien du même recel, mais imputé à d'autres. J'estimais ne pas avoir à demander de supplétif. La chambre d'accusation a été d'un avis contraire. Très franchement, aujourd'hui encore, je trouve cela très curieux.

Quatrième annulation : la cassette Méry

Cette annulation concerne la dernière partie de la procédure, liée à l'exploitation de la cassette Méry.

À la suite des précédentes requêtes en annulation, le président de la chambre d'accusation, pour éviter que je ne communique mon dossier au parquet pour réquisitoire définitif avant que leurs décisions n'aient été rendues, avait décidé de suspendre mon information. La loi prévoit qu'en cas de requête en annulation, l'instruction se poursuit, mais que dans certains cas le président de la chambre d'accusation peut décider de la suspendre. Il se trouve que le président Laurans a décidé, en prenant ses fonctions, de remettre en vigueur cette pratique, inusitée depuis des années. En décidant de suspendre certains dossiers, mais pas tous.

La décision de suspension de mon dossier a donc été prise en octobre 1999. Mais il se trouve que je l'ignorais. Les avis de suspension ne sont en effet pas envoyés directement aux juges destinataires. Ni fax, ni courrier recommandé, ni coup de téléphone. L'avis, une simple feuille de papier confiée à la navette quotidienne entre la chambre et le tribunal, est déposé dans la case courrier du juge concerné. Je maintiens ici que je n'ai jamais eu connaissance de cet avis.

N'étant pas le dernier des procéduriers, je me souviens très bien de mon premier acte en arrivant dans mon cabinet le lendemain de l'apparition de la cassette Méry, un an plus tard. Connaissant la pratique du président de la chambre d'accusation, j'ai demandé immédiatement à ma greffière si, dans le dossier des HLM, l'instruction avait été suspendue. Elle a regardé partout dans les dossiers et n'a trouvé aucune trace de suspension. Comme moi, elle n'avait gardé aucun souvenir d'une telle décision.

Le seul tort que j'ai eu, c'est de ne pas avoir appelé moi-même directement le président de la chambre d'accusation pour vérifier ce point. Depuis cette affaire, certains de mes collègues, lorsqu'ils ont un acte à accomplir dans un dossier pour lequel une requête en annulation a été déposée, appellent systématiquement la chambre d'accusation afin de vérifier qu'aucune suspension n'a été décidée. La chambre a également pris depuis la précaution d'aviser directement par fax les juges des décisions de suspension.

Ne sachant donc pas que je suis suspendu, j'accomplis certains actes que j'estime urgents. Comme de saisir la cassette Méry dans les locaux du producteur Arnaud Hamelin et de faire deux ou trois auditions. Quelques jours plus tard, la présidente de la chambre me téléphone pour me dire que je suis suspendu. « Comment cela, je suis suspendu ? » Elle se reprend. « Non, pas vous, votre dossier. – Mais comment ça, je ne suis pas au courant ! » Elle me demande alors si j'ai reçu l'ordonnance, je lui réponds par la négative. « Alors, je vous apprends que vous êtes suspendu depuis un an. » Je me fais aussitôt adresser copie des ordonnances de suspension et j'arrête tout acte d'instruction en attendant l'arrêt de la chambre d'accusation qui doit statuer sur les précédentes requêtes.

Je tiens à souligner au passage que ces requêtes dataient de septembre 1999, et que plus d'un an après, en novembre 2000, la chambre d'accusation n'avait toujours pas tranché. Les retards des chambres d'accusation dans l'examen des requêtes qui leur sont transmises ne sont pas pour rien dans l'allongement de la durée des instructions.

Dès que la chambre rend enfin son arrêt concernant mon dossier, et valide 90 % de ma procédure, je reprends aussitôt mon instruction, notamment pour vérifier les affirmations de Jean-Claude Méry figurant dans la fameuse cassette. Cela aboutira à la convocation de Jacques Chirac comme témoin, aux déclarations de Ciolina mettant directement en cause le président de la République, puis à mon ordonnance d'incompétence pour poursuivre dans cette voie.

Évidemment, de nouvelles requêtes en annulation sont déposées, stipulant qu'ayant été suspendu, je ne pouvais pas instruire. Et en septembre 2001, la chambre d'accusation invalide l'ensemble de mes actes concernant le volet de la cassette Méry. Plusieurs questions se posent à propos de cet arrêt.

Un, la chambre d'accusation, de façon curieuse, a laissé penser que j'étais forcément au courant de cette suspension, puisque l'original de l'ordonnance de suspension figure dans le dossier. Or il convient de rappeler qu'au moment où la cassette Méry fait son apparition, la décision précédente de la chambre d'accusation n'a toujours pas été rendue, en conséquence de quoi l'original de mon dossier se trouve toujours à la chambre. Avec à l'intérieur, c'est exact, l'ordonnance de suspension. Mais je n'y ai pas accès. Ce qui n'a pas pu échapper à la chambre d'accusation...

Deux, la chambre ne daigne même pas examiner l'incidence de ma non-information d'une telle ordonnance comme si ce problème était anodin.

Trois, l'article du Code de procédure pénale dit que dans le cas où le président de la chambre d'accusation suspendrait une instruction, aucun acte ne peut être accompli, hors cas d'urgence. Un avocat soutenait que la saisie d'une cassette était un acte urgent. Argument auquel la chambre a simplement répondu : non, il n'y avait pas urgence. Sans dire pourquoi. Je maintiens que dans un tel dossier, à partir du moment où une cassette circule partout, je me devais de la saisir le plus vite possible afin d'éviter toute manipulation.

Et quatre, lorsqu'un acte est entaché de nullité, il faut toujours regarder si les actes qui lui sont postérieurs ont comme fondement nécessaire l'acte litigieux. Comme tous les magistrats expérimentés, je connais bien cette règle implicite. Dès que je fais un acte que j'estime susceptible d'entraîner des discussions juridiques, je prends bien garde de ne pas m'en resservir dans les actes ultérieurs. C'est la meilleure façon d'éviter la « contagion » d'une éventuelle annulation à tout le dossier. Et si je dois faire état de cet acte sensible, dans un interrogatoire par exemple, je le fais toujours de façon séparée. D'un côté l'ensemble de l'interrogatoire, de l'autre la question relative à l'acte. Son éventuelle annulation n'entraîne alors que l'annulation de cinq lignes de procès-verbal, et non de l'ensemble d'un interrogatoire qui peut compter plusieurs pages.

Exemple. Dans un gros dossier de trafic de stupéfiants, les policiers ont saisi, de façon très contestable juridiquement, plusieurs téléphones portables. Je voulais quand même vérifier si ces téléphones étaient volés ou pas. Ils l'étaient. Et avant que la chambre d'accusation soit éventuellement saisie, j'ai décidé d'entendre le mis en examen sur le vol de ces appareils. Je l'ai fait au cours d'un interrogatoire séparé, dans lequel je pose une seule question sur le vol de ces téléphones, et dans lequel le mis en examen me répond cinq lignes. Le reste de l'audition, portant sur la partie principale du dossier, le trafic de stupéfiants, figure sur un interrogatoire séparé, protégé ainsi de tout risque d'annulation incidente.

Pour en revenir à la cassette Méry, à aucun moment, dans la suite de la procédure, je n'ai fait référence ni à la cassette, ni à sa saisie. Dès que la chambre d'accusation a rendu sa décision, j'ai demandé à mes collègues, qui eux aussi avaient saisi la cassette, une copie du rapport d'expertise ayant procédé à la transcription. Et c'est ce document, tout à fait valide, qui m'a servi de base à la suite des auditions, des interrogatoires et des différents actes. Dans ces conditions, j'estime que si on devait annuler la saisie de la cassette, cela n'entraînerait que l'annulation de la perquisition que j'avais accomplie, mais pas de celle de mes collègues, et en conséquence, pas la nullité de tout le reste.

Enfin, dernier point. Après la décision de la chambre d'accusation de valider 90 % de ma procédure, certains avocats ont déposé un pourvoi en cassation, en demandant au président de la chambre criminelle de la Cour de cassation de suspendre mon instruction. Ce qui montre bien qu'eux-mêmes estimaient que je n'étais plus suspendu.

J'avais sur ce point pris la précaution de demander conseil au président de la chambre d'accusation, ainsi qu'auprès de plusieurs de mes collègues. Tous avaient confirmé mon point de vue, à savoir qu'après le feu vert de la chambre, rien ne m'empêchait de continuer.

Le président de la chambre criminelle de la Cour de cassation a rendu une décision selon laquelle « il n'y a pas lieu d'ordonner la suspension de l'information ». Le terme « ordonner », en droit, fait référence à une nouvelle situation. Ce qui indique à l'évidence que je ne suis pas suspendu au moment de cette décision. Dans le cas contraire, la chambre criminelle aurait précisé qu'« il n'y a pas lieu de prolonger la suspension de l'information ».

Malgré cela, et en l'absence de toute jurisprudence, la chambre d'accusation a estimé que la suspension ordonnée par son président allait jusqu'à ce que le pourvoi en cassation soit examiné, estimant que les pouvoirs de suspension des présidents des deux chambres seraient en quelque sorte cumulatifs.

C'est sur la base de cette discussion très « pointue », susceptible d'au moins deux interprétations – et encore, il me semble faire preuve d'une grande générosité à l'égard de celle de la chambre d'accusation –, que l'intégralité de tout ce qui a été fait par les policiers et par moi à partir de la cassette Méry a été annulé. C'est aussi sur cette base que mon dessaisissement a été prononcé. « Un dessaisissement dont l'histoire reste à écrire », comme le fait remarquer *Libération* dans un article du 15 janvier 2002.

Pourquoi la chambre d'accusation a-t-elle rendu ces décisions qui me sont défavorables, alors qu'elles sont juridiquement au moins discutables, au plus, non fondées ? J'y vois deux réponses.

Soit, politiquement, la chambre d'accusation n'approuvait pas ce que je faisais, et a estimé qu'il fallait absolument y mettre un terme. Les bruits courent que la présidente est connue de longue date pour ses attaches avec le RPR, y compris lorsqu'elle était en poste en province. Et qu'il en est de même pour ses deux assesseurs, l'un étant en plus réputé pour son absence totale de caractère et pour son incompétence. Ce qui m'amène à l'autre possibilité, une absence d'expérience en matière de procédure pénale, notamment en ce qui concerne la perquisition Tiberi, d'où le revirement ultérieur.

Il faut bien comprendre, et des décisions récemment critiquées l'ont montré, qu'à partir du moment où un acte de procédure peut faire l'objet de deux interprétations juridiques dans deux sens opposés, ce qui fait pencher la balance est parfois ténu. Ce peut être la conjoncture politique, judiciaire, médiatique. Ce peut être autre chose.

Une collègue que j'avais connue à Créteil, devenue ensuite conseiller à la chambre d'accusation de Paris, m'a un jour demandé : « Mais qu'est-ce que tu as fait à Mme Une Telle ? » Étonné, je lui ai expliqué que je ne connaissais pas cette dame. « En tout cas, elle, elle ne peut pas te sacquer. Elle te hait. »

Dans la Justice, il y a beaucoup de carriérisme, de médisance, de jalousie. Beaucoup de collègues ont toujours fait preuve d'une jalousie extrême vis-à-vis des quelques-uns de leurs pairs qui avaient acquis une petite ou une grande notoriété. Le fait que l'on parle de moi dans les journaux a engendré chez beaucoup, y compris des gens qui ne me connaissent pas, que je ne connais pas et que je n'ai même jamais eu au téléphone, une jalousie très importante. Suffisante parfois pour en faire des relais de certains bruits sur mes compétences, mes opinions politiques ou ma vie privée. Et certaines décisions ont pu être inspirées par cette jalousie.

Dans une affaire récente, un criminel notoire a été relâché en cours d'instruction. Non parce que sa culpabilité dans le dossier ne semblait pas établie, ni que l'on estimait qu'il n'était pas dangereux ou que sa réinsertion était en bonne voie. Mais tout simplement parce que la chambre d'accusation, présidée par le même Jean-Paul Laurans, a trouvé que le juge d'instruction avait mis trop de temps à instruire. Autrement dit, on fait prendre des risques importants à la société uniquement pour « clouer le bec » à un petit juge d'instruction et lui montrer que des conseillers de chambre d'accusation sont plus « sages » que lui.

C'est la raison de la fronde des juges parisiens contre la chambre d'accusation. On ne reprochera jamais à un magistrat d'avoir pris une décision, même courageuse, de remise en liberté, parce qu'il estimait que telle devait être la décision au vu du dossier et de la personnalité du mis en examen.

Il y a quelques années, les juges d'instruction de Versailles avaient été en ébullition, après la remise en liberté d'un gros trafiquant de drogue. Petite précision de forme, lorsque le juge doit prolonger un mandat de dépôt, il précise : « Prolongeons la détention de X à partir de tel jour, zéro heure. » Dans ce dossier, le juge d'instruction, faute d'ordinateur disponible sans doute, avait écrit la fameuse formule à la main, dans le plus pur respect des formes. Sauf pour la chambre d'accusation qui a estimé que le zéro était mal écrit, et que l'on pouvait se demander s'il ne s'agissait pas d'un trois. Comme s'il était vraisemblable qu'un juge d'instruction se mette à innover en prolongeant les mandats de dépôt à partir de trois heures du matin. En conséquence, il y avait eu selon la chambre trois heures de détention arbitraire, en conséquence de quoi il fallait relâcher immédiatement le mis en examen. Voilà à quelles absurdités on aboutit lorsque le président de la chambre d'accusation souhaite seulement montrer qu'il est meilleur que les juges d'instruction, mettre l'accent sur son pouvoir et marquer son territoire. À l'inverse de la Justice.

Pour autant, je conviens volontiers de la nécessité d'une juridiction au-dessus du juge d'instruction. Chacun de ses actes est susceptible d'appel, et il est normal qu'une juridiction d'appel examine ses décisions et contrôle la bonne marche du cabinet d'instruction. Mais il faut veiller au recrutement des membres de ces chambres. Et augmenter le nombre de magistrats et de fonctionnaires les composant. Actuellement, elles sont totalement débordées, à tel point que, même dans des affaires importantes, elles mettent plus d'un an à rendre leurs décisions. Ou que parfois, ayant laissé passer des délais impératifs, elles se retrouvent dans l'obligation de remettre en liberté des mis en examen sans vraiment l'avoir souhaité.

Sans que personne n'en parle. Certaines bavures sont plus discrètes que d'autres.

8.
Le parquet

Il ne paraît pas que la nature ait
fait les hommes pour l'indépendance.
Vauvenargues,
Réflexions et maximes.

Le récit de quelques-uns des épisodes de l'affaire des HLM de Paris l'a montré : le parquet tient un grand rôle dans le déroulement d'une instruction judiciaire. Il est présent à tout moment. De l'ouverture de l'information jusqu'aux réquisitions de renvoi de certaines personnes devant le tribunal, il suit pas à pas l'ensemble de la procédure d'instruction.

Avant d'examiner dans le détail ce fonctionnement, il me paraît utile de faire un bref rappel.

Le juge d'instruction, comme le juge des enfants, le juge d'application des peines ou le juge en correctionnelle, est un magistrat du siège. La Constitution de la Ve République stipule que, garants de la liberté individuelle, les magistrats du siège, que l'on appelle également juges dans un tribunal, conseillers dans une cour d'appel ou présidents, sont totalement indépendants du pouvoir politique. Ils n'ont aucun chef, personne ne peut leur donner d'ordre, personne ne peut, en principe, leur demander des comptes sur les décisions qu'ils sont amenés à prendre.

Il en va tout autrement du parquet, que l'on désigne aussi sous l'appellation de ministère public. Certes, les deux corps, siège et parquet, ont la même formation, puisqu'ils sont issus de l'École nationale de la magistrature. D'ailleurs, les passages de l'un vers l'autre sont courants en cours de carrière. Mais dès lors qu'un magistrat prend des fonctions au sein du parquet, il n'a plus le même statut que ses collègues. Représentant la société, il a au contraire l'obligation d'obéir aux instructions qu'il reçoit.

L'organisation interne du parquet est très hiérarchisée. À la base se trouve le substitut, qui doit, en théorie, appliquer les consignes de ses supérieurs, le premier substitut et le procureur de son tribunal. C'est la même chose au sein des 57 cours d'appel françaises, les substituts généraux recevant leurs consignes des avocats généraux et des procureurs généraux.

Toutes les actions du parquet sont hiérarchisées : le procureur peut enjoindre son premier substitut ou l'un de ses substituts d'ouvrir une affaire. Il peut également enjoindre de faire des réquisitions dans tel ou tel sens, ses instructions devant se faire impérativement par écrit. Seule liberté à ce principe général, durant les audiences. le représentant du parquet peut dire ce qu'il veut. Ce qui est traduit dans l'adage : « La plume est serve, mais la parole est libre. »

À noter qu'en théorie les textes précisent que seules les instructions écrites de la hiérarchie concernant les poursuites à engager ou les réquisitions à prendre doivent être suivies. En revanche, un procureur ne peut pas demander à un substitut de classer une affaire. Mais les textes sont ce qu'ils sont, les hommes aussi. La pratique veut que les substituts n'aillent pas à l'encontre d'un procureur qui leur demande oralement de classer une affaire.

Le sommet de la hiérarchie judiciaire siège place Vendôme à Paris : le ministère de la Justice, qui dispose lui aussi d'un certain pouvoir d'intervention. C'est par le biais de la Direction des affaires criminelles et des grâces que le ministère donne ses instructions aux membres du parquet de la cour d'appel, qui les retransmettent ensuite vers les parquets des tribunaux concernés.

Qui dit instruction donnée dit forcément information reçue. Pour que la Chancellerie et le Parquet général de la cour d'appel puissent déterminer le sens de leurs interventions, il faut qu'ils soient informés par la « base ». Ce sont donc les substituts qui se chargent de la besogne, en rédigeant des rapports sur toutes les affaires sensibles.

Au sein du tribunal, la répartition des rôles entre siège et parquet est très simple. Les magistrats du siège jugent, prennent des décisions. Ceux du parquet ont la maîtrise de l'action publique : dans chaque affaire, ce sont eux qui vont décider de l'orientation à donner. Exemple. Des policiers interpellent un cambrioleur en flagrant délit. Ils en avisent aussitôt le parquet. Il y a dans chaque tribunal un substitut de permanence, 24 heures sur 24, chargé de recevoir les appels téléphoniques des commissariats. Il arrive fréquemment que le « permanencier » soit réveillé une quinzaine de fois dans la même nuit, pour des faits bénins le plus souvent, quelquefois pour des infractions beaucoup plus graves. Cette obligation a été aggravée par la loi dite « Présomption d'innocence » : dorénavant, les policiers ont l'obligation d'aviser le parquet dès le début d'une garde à vue. Même s'il s'agit de l'interpellation à 3 heures du matin d'un pauvre gars en cyclomoteur, qui roule sans casque et complètement ivre. Il faut rendre compte. Chaque substitut se déplace dorénavant avec un télécopieur portatif.

Une fois informé, le substitut décide des suites à donner. Il peut classer l'affaire, s'il estime qu'aucune infraction n'a été commise ou que la poursuite n'est pas « opportune ». Il peut renvoyer l'affaire devant le tribunal correctionnel, et alors il a le choix de convoquer les protagonistes à une date ultérieure, ou de les présenter à l'audience du lendemain, en comparution immédiate. Il peut enfin saisir un juge d'instruction lorsqu'il s'agit d'une affaire grave ou compliquée. À noter que l'instruction est obligatoire en matière criminelle. Le substitut ouvre alors une information par ce que l'on appelle un réquisitoire introductif.

Quand Napoléon parlait de la toute-puissance du juge d'instruction, il n'avait sans doute pas en tête deux restrictions très importantes à ce supposé pouvoir. Premièrement, le juge d'instruction ne peut pas s'autosaisir d'une affaire. Il ne peut œuvrer que dans les dossiers qui lui sont confiés par le parquet. Deuxièmement, une fois en charge d'un dossier, il ne peut instruire que sur les faits qui lui sont initialement soumis. C'est ce que l'on appelle la saisine *in rem*. Si, à l'occasion de son enquête, le juge découvre des faits nouveaux dont il n'est pas saisi, il ne peut s'en occuper qu'après en avoir reçu l'autorisation du parquet. Le juge doit pour cela solliciter et obtenir un « réquisitoire supplétif », faute de quoi tout acte de sa procédure concernant ces faits nouveaux serait frappé de nullité. Cette formalité ne pose généralement pas de problème dans les dossiers de droit commun. Il en va tout autrement en matière politico-financière, où toute demande de supplétif d'un juge d'instruction à un substitut fait l'objet de débats et de négociations, parfois au plus haut niveau.

Ainsi lorsque je me rends en perquisition au domicile de Jean-Claude Méry, au tout début de mon instruction sur les HLM de Paris. Il s'agit à ce moment-là, je le rappelle, d'une affaire de fausses factures présumées émises par Méry et honorées par la SAR, la société d'Alfortville dirigée par Francis Poullain. Au cours de la perquisition, je découvre effectivement les preuves des facturations en direction de la SAR. Mais aussi que Méry a émis des factures en direction d'une cinquantaine d'autres entreprises du BTP. Je n'ai pu poursuivre ces pistes qu'après avoir obtenu un réquisitoire supplétif. On verra plus loin que cette facilité ne me sera pas longtemps accordée...

De cette présentation, on comprend mieux, je l'espère, qu'une enquête n'a de chance d'aboutir que si le parquet accepte de coopérer un minimum avec le juge. Notamment lorsqu'il s'agit d'étendre sa saisine. Une enquête peut être irrémédiablement compromise par le simple refus de réquisitions supplétives. Dans ce processus, les facteurs humains revêtent une importance considérable. Les personnalités du procureur et du Garde des sceaux en exercice peuvent en effet considérablement influer sur le déroulement d'une instruction.

Le premier, le procureur, peut être incompétent ou brillant, servile ou rebelle, protéger ses hommes ou au contraire tout faire peser sur eux. Rares sont les gouvernements qui ont choisi de nommer aux postes de procureurs des gens connus pour leur fermeté de caractère et leur courage. Il y a évidemment quelques exceptions. Je pense notamment à Éric de Montgolfier. Pas grand-chose à voir avec l'homme qui supervisera au parquet de Créteil mon dossier des HLM. Ce procureur s'appelle Michel Barrau. Avant d'arriver dans le Val-de-Marne, il était premier substitut à Bobigny. Il est sans doute l'un des rares, voire le seul, à être passé directement de premier substitut à procureur d'un grand tribunal comme Créteil. On peut se poser la question quant aux motifs de cette exceptionnelle promotion. Teint cadavéreux, éternellement vêtu de sombre et les cheveux blancs impeccablement peignés, l'homme a une convivialité de croque-mort. Avare en parole comme dans la vie, il soumet ses substituts à une sorte de taxation permanente, les délestant de cigarettes qui lui permettent de fumer sans acheter le moindre paquet.

Le procureur Barrau, marqué à droite, a toujours eu la réputation d'être aux ordres de sa hiérarchie. Le moins que l'on puisse dire, c'est qu'il n'a jamais fait preuve d'un entrain excessif à coopérer avec moi. À chaque fois que j'ai dû évoquer l'affaire avec lui, il a fait montre d'hostilité, critiquant tant les décisions prises que celles envisagées. Il n'a en revanche jamais laissé passer une occasion de me compliquer le travail. Ainsi, depuis près d'un an, il a pris le parti de faire appel systématiquement à chaque fois que je remets un mis en examen en liberté.

Le ministre de la Justice du moment peut aussi peser sur les instructions. Surtout s'il est par nature ou choix politique un « interventionniste ». Un autre préférera se tenir en retrait ou se contenter de donner des instructions d'ordre général, demandant par exemple de poursuivre systématiquement toute conduite en état alcoolique, d'amplifier la lutte contre le travail clandestin ou de ne pas poursuivre les étrangers en situation irrégulière.

Le temps qu'a duré mon enquête sur les HLM de Paris, quatre ministres se sont succédé à la Chancellerie. Quatre ministres, quatre politiques. Aux premiers éléments du dossier, c'est Pierre Méhaignerie qui occupe le fauteuil de la place Vendôme. Garde des sceaux jusqu'en 1995, il se révèle fort peu interventionniste. Il laisse même le parquet de Paris ouvrir une information judiciaire concernant le financement de son propre parti, le CDS. Il sera d'ailleurs mis en examen un peu plus tard dans cette affaire.

Durant cette période, j'obtiens tous les réquisitoires supplétifs que je demande. Ce qui me permet d'étendre ma saisine à Jean-Claude Méry et d'obtenir début 1995 un supplétif pour « trafic d'influence », alors qu'au départ je ne suis saisi que d'abus de biens sociaux. Si cette affaire a connu quelques débouchés et quelques rebondissements, c'est vraisemblablement à la politique suivie par M. Méhaignerie qu'elle le doit. Il faut dire que Méhaignerie étant balladurien, le fait que les investigations s'orientent vers la mairie de Paris et puissent éventuellement gêner Jacques Chirac, à quelques mois de l'élection présidentielle, n'était sans doute pas pour lui déplaire. Lorsque Méhaignerie quittera la place Vendôme, on lui fera grief de ne pas avoir su « tenir » les affaires...

On ne peut certainement pas adresser le même reproche à son successeur, Jacques Toubon. Du jour de son installation à la Chancellerie, je n'aurai plus droit à aucun réquisitoire supplétif, et le parquet n'aura de cesse de m'enjoindre de rester dans le cadre strict de ma saisine. Toubon est alors un rouage important du RPR sur lequel j'enquête. C'est aussi un proche du président de la République pour lequel il avait même promis de se jeter dans la Seine si on le lui demandait. Il exige donc d'être informé de tout, intervient et donne des instructions à toutes les étapes de mon dossier.

De plus, mais ce doit être une coïncidence, mes commissions rogatoires internationales prennent alors beaucoup plus de temps pour quitter la France en direction des pays destinataires. Deux mots sur le circuit de ces actes : à cette époque, un juge ne pouvait envoyer directement à son correspondant étranger une commission rogatoire internationale. Il devait la remettre au procureur de son tribunal, lequel l'envoyait via la cour d'appel à la Chancellerie, qui se chargeait alors de l'expédition, soit directement, soit par le biais du ministère des Affaires étrangères. Tout cela prend du temps. Beaucoup de temps, même, en ce qui me concerne. Le record absolu de lenteur revient sans doute à la commission rogatoire que j'avais délivrée en septembre 1995 pour faire vérifier certains comptes à l'Arab Bank de Zurich. Selon mes informations, des commissions en liaison avec l'affaire des HLM avaient peut-être été versées via cet établissement bancaire suisse. Entre parenthèses, j'avais été avisé que les comptes sur lesquels transite l'argent du financement politique étaient les mêmes que ceux utilisés pour le trafic d'armes ou de stupéfiants. Je n'ai donc pas été surpris de voir que la galaxie Ben Laden avait ses comptes à... l'Arab Bank de Dubaï. De Dubaï à Zurich, il n'y a qu'un virement Swift d'écart.

Toujours est-il qu'arrive le mois de décembre, et toujours pas de nouvelles de ma demande. J'appelle donc le juge d'instruction de Zurich, qui me dit, ô surprise, qu'il n'a rien reçu. Je me mets alors sur la piste de mon courrier, en suivant étape par étape le circuit hiérarchique. Pour découvrir que le ministère de la Justice a mis plus de trois mois pour envoyer cette petite commission rogatoire vers la Suisse. Ce n'est pas sans une certaine incrédulité que j'entendrai un soir, un peu plus tard, Jacques Toubon se plaindre à la radio de la durée de mon instruction…

Après les freins puissants de ce ministre RPR, je pouvais penser que, sous un ministre socialiste, le ministère public se montrerait plus favorable à mes enquêtes. Il n'en a rien été. Non que le procureur Barrau ait subi une grave crise d'insoumission. Mais parce que Élisabeth Guigou, en arrivant place Vendôme, annonce aussitôt qu'elle ne donnera plus aucune instruction dans les dossiers individuels. Et pour en convaincre l'opinion, la ministre, qui s'exprime devant les micros, ajoute : « Le juge Halphen de Créteil a demandé il y a quelques semaines au parquet un réquisitoire supplétif pour pouvoir enquêter sur les infractions d'entrave dont auraient pu se rendre coupables des fonctionnaires des Renseignements généraux. Le parquet, ajoute-t-elle, a transmis pour avis cette demande à la Chancellerie. Je peux vous dire que je ne donnerai aucune instruction en ce qui concerne cette demande. »

Politique louable. On ne peut que se réjouir qu'un ministre de la Justice ne donne plus d'instruction dans les dossiers individuels. À ceci près. Le parquet de Créteil, n'ayant pas changé de philosophie, s'est retrouvé avec la bride sur le cou. Il s'est donc empressé de faire comme avant. Et donc de ne pas suivre mes demandes. Marylise Lebranchu, succédant à Élisabeth Guigou, appliquera la même stratégie. Mais attention. Il ne faudrait pas croire que, pour autant, les nouveaux occupants de la place Vendôme ne veulent plus être au courant des affaires. Je me suis laissé conter par quelqu'un à la Chancellerie que Mme Guigou, alors qu'elle briguait la mairie d'Avignon, avait demandé à être renseignée au jour le jour sur toutes les infractions un tant soit peu importantes commises dans cette ville.

Moralité. Dans mon dossier, j'ai découvert bon nombre d'irrégularités annexes. Il y a eu les 2,4 millions de francs qui se trouvaient dans le coffre du Parti républicain. Puis le rapport de Xavière Tiberi sur la francophonie. J'ai mis au jour la réfection de l'appartement de la Ville de Paris occupé par Dominique Tiberi, réfection luxueuse et à grands frais, supportée par le contribuable parisien, alors que le fils du maire était par ailleurs propriétaire d'un appartement dans le Ve arrondissement. Sans compter les salaires fictifs de Louise-Yvonne Casetta – permanente RPR mais salariée par deux sociétés parisiennes, dont l'une s'occupait du nettoyage du métro parisien –, les emplois fictifs du RPR, par le biais de la société Les Charpentiers de Paris, ou les chargés de mission fantômes de la mairie de Paris permanents du RPR en Corrèze. J'en oublie sans doute. Mais je n'ai jamais eu aucun supplétif pour tous ces faits. Quelques-uns de ces dossiers ont été transmis aux juridictions localement compétentes. Mais dans d'autres cas, il n'y a eu aucune poursuite.

Avec le recul, je pense que si j'avais eu un autre procureur à Créteil, quelqu'un comme M. Bot à Nanterre, qui n'a jamais entravé les enquêtes qu'il a ouvertes, le sort de mon dossier aurait été différent.

D'autant que le parquet ne s'est pas contenté de cette stratégie officielle de non-solidarité à mon endroit. Il s'est en plus livré, de façon souterraine, à certaines pratiques très éloignées du Code de procédure pénale. J'ai ainsi appris que le procureur recevait à mon insu certains avocats du dossier pour discuter avec eux de la meilleure façon de bloquer ma procédure et de répondre à mes questions. Il aurait même promis à certains de ces avocats de requérir le moment venu un non-lieu pour Jean Tiberi. Si tout cela est vrai, c'est très grave. Comme me le faisait remarquer Arnaud Montebourg, alors avocat de François Ciolina, le directeur général adjoint de l'Opac, « dans des dossiers comme le vôtre, le parquet tient le rôle de l'avocat de la défense, et c'est à l'avocat de se transformer en procureur. C'est quand même incroyable… ». C'est le moins que l'on puisse dire.

9.
Les policiers

Le juge sans le policier n'est rien.
Le policier sans le juge est tout.
Vieil adage.

La scène se passe dans un bistrot de Paris, près du Palais-Royal. J'ai donné rendez-vous aux policiers pour effectuer une perquisition en urgence. Un témoin vient de m'indiquer, pendant son audition, un lieu où pouvaient se trouver des choses intéressantes.

Nous sommes tous assis autour d'une table, ma greffière, trois inspecteurs et deux commissaires, en train de siroter un café. C'est le moment pour moi de donner quelques explications sur l'opération à venir. La petite troupe écoute en silence. À la fin de mon exposé, l'un des commissaires se lève, expliquant sans que personne ne lui demande rien qu'il doit aller aux toilettes. Avant de s'éloigner, il lance un regard oblique en direction de l'autre commissaire. Qui à son tour se lève pour le rejoindre.

À ce moment-là, l'inspecteur Georges Poirrier me regarde. « Vous avez compris où ils vont, monsieur le juge ? – Aux toilettes ? » Un sourire malin retrousse ses lèvres. « Bien sûr, mais pour faire quoi, à votre avis ? » Et de m'expliquer qu'ils vont tout bonnement téléphoner en cachette à leur hiérarchie pour l'informer et recevoir des instructions.

Simple anecdote, bien sûr. Mais elle illustre bien la situation ambiguë dans laquelle se trouve le policier, soumis à une double hiérarchie. Il doit obéir au parquet au moment de l'enquête préliminaire – parquet qui note les officiers de Police judiciaire chaque année – et au juge d'instruction une fois que l'information est ouverte. Mais il doit aussi obéir à ses supérieurs hiérarchiques, dont il dépend pour tout ce qui concerne sa carrière, ses mutations et ses avancements. En cas de conflit entre les deux tutelles, il n'est pas difficile de savoir vers où se dirigeront ses préférences…

D'où certaines difficultés, dont j'ai fait les frais, en cas d'enquête sur des dossiers sensibles. Le juge peut ainsi se retrouver seul, sans policier pour exécuter ses instructions. On parle de la réforme de la Justice, de couper les liens entre la Chancellerie et le parquet (j'y reviendrai). Mais si l'on ne se penche pas en même temps sur une réforme de la Police judiciaire, cela ne sert strictement à rien. Envisager une totale indépendance de la Justice sans évoquer aussi celle de la police est une vue de l'esprit. Le juge le plus libre du monde ne peut rien, si les policiers qu'il envoie en perquisition ont reçu l'ordre, venu d'ailleurs, de ne rien trouver.

Malheureusement, ces dernières années, pas un seul ministre n'a évoqué la nécessaire réforme globale de la Police et de la Justice. D'où la demande d'un certain nombre de magistrats pénalistes, dont je suis, d'une coupure totale entre les deux polices qui cohabitent pour l'instant. Avec d'un côté la police administrative, qui fait respecter l'ordre et règle la circulation aux carrefours. Et de l'autre la Police judiciaire, celle qui enquête, qui identifie et qui arrête les auteurs d'infractions. Dans ce cadre, il nous paraît indispensable que cette Police judiciaire soit enfin conforme à son nom : une police qui dépend exclusivement de la Justice.

Beaucoup d'inspecteurs sont totalement favorables à cette révolution. Devoir obéir à deux autorités à la fois, c'est invivable pour eux et inefficace pour l'enquête. Ils préféreraient cent fois ne rendre compte de leurs investigations qu'à un substitut ou à un juge. Cela leur simplifierait tellement la vie.

Ainsi, dans une affaire de stupéfiants, l'un des enquêteurs était venu me trouver pour me faire part de ses difficultés. Il avait découvert dans le carnet d'adresses saisi sur un suspect des noms de gens « connus ». Mais il savait que, s'il faisait état de ces noms sensibles dans son procès-verbal, le commissaire risquait de faire barrage et de bloquer le dossier. L'inspecteur m'avait donc proposé de tourner la difficulté en me transmettant une version « expurgée » du procès-verbal d'étude de l'agenda et en me suggérant de trouver ensuite moi-même les fameux noms. Je n'aurais plus ensuite qu'à les lui indiquer dans une commission rogatoire, pour obliger sa hiérarchie à le laisser enquêter dans ces directions.

On voit ainsi s'installer une sorte de connivence ou de complicité entre les inspecteurs et les juges d'instruction, au détriment des commissaires. Car si les enquêteurs sont animés exclusivement du souci de voir progresser leurs investigations, passionnés par leur métier, les commissaires en ont un autre, moins avouable : ne pas faire de vagues.

Les commissaires sont d'ailleurs majoritairement hostiles à cette réforme. Ils savent qu'à court terme elle signifierait la fin de leur métier. Il n'est sans doute pas encore né, le ministre de l'Intérieur qui osera passer outre à leur opposition.

D'autant que cette police en double commande présente un avantage certain pour le pouvoir politique, quel qu'il soit. Lorsqu'une enquête s'annonce gênante, et qu'elle avance trop vite à son goût, rien n'est plus simple et plus facile que de muter les policiers trop efficaces, ou de placer à la tête de leur service un commissaire respectueux de la hiérarchie ou incompétent, voire les deux à la fois. Quel meilleur moyen pour entraver une enquête et être informé de tout ce qui se passe ?

La Police judiciaire n'a pas besoin de tout ça. Elle souffre déjà bien assez de ses propres faiblesses, à commencer par un sous-effectif chronique. Un inspecteur de Créteil m'a expliqué que le service départemental de Police judiciaire du Val-de-Marne a perdu l'an dernier un tiers de ses postes. Alors que, dans le même temps, le nombre d'enquêtes à mener ne cesse de croître.

Elle aurait aussi grandement besoin d'un recentrage sur l'activité de terrain. Les inspecteurs passent plus de temps à taper des procès-verbaux justifiant chacun de leurs actes qu'à enquêter. Il faut lire les procédures de police : sur 30 PV, il y a 3 PV d'interrogatoire de suspects, et 27 PV relatant par le menu le début de l'enquête, la description des transports, les notifications de garde à vue, l'appel téléphonique au substitut du procureur pour lui rendre compte et lui demander l'autorisation de surseoir à l'avis à famille, les fax envoyés au parquet et à l'Ordre des avocats pour demander la visite de l'avocat. Cette activité de scribe finit par paralyser l'action de la police. Non seulement elle ne présente aucun intérêt pour l'enquête, mais en outre elle permet aux avocats de demander et d'obtenir l'annulation de la procédure si par mégarde venait à manquer l'un de ces PV, même le plus inutile. Il faut bien comprendre qu'un criminel peut être remis en liberté uniquement parce que sa garde à vue, ayant pris effet à 6 h 30, n'a été portée à la connaissance du substitut ou du juge qu'à... 9 heures. Ce qui, chacun en conviendra, constitue sans aucun doute une atteinte particulièrement grave aux droits de la défense...

Parce que j'ai été à l'origine indirecte de la mise à l'écart de Jacques Franquet et d'Olivier Foll, deux grands patrons de la police, et qu'en raison de mes démêlés avec les Renseignements généraux, j'ai dû faire preuve de méfiance à leur égard, je passe parfois pour un juge « antiflic ». C'est faux. Je veux témoigner ici de la passion intacte de ces enquêteurs qui passent des jours et des nuits à planquer dans des voitures, qui épluchent pendant des semaines des retranscriptions d'écoutes téléphoniques, sans jamais rechigner ni prendre les jours de récup auxquels ils ont pourtant droit.

Ce qui m'a permis de recevoir à la fois leurs confidences et leurs interrogations. Comme cet inspecteur de la Brigade de répression du banditisme, la BRB, venu me raconter ses histoires d'indics, sans lesquels on ne sortirait selon lui aucune belle affaire, et qu'il faut bien récompenser autrement que par une franche poignée de main. Il se plaint de l'hypocrisie des juges. « Vous, monsieur le juge, si je vous dis que dans un entrepôt il y a dix camions volés, et qu'officiellement on n'en trouvera que neuf, qu'est-ce que vous répondez ?... Si on a une affaire de cinq kilos de coke, et qu'on en saisit seulement quatre au moment de la perquise, qu'est-ce que vous en pensez ? »

Un autre me parlera des écoutes téléphoniques « officieuses ». En droit, les écoutes ne sont légales que dans deux cas : lorsqu'elles sont ordonnées sur commission rogatoire d'un juge d'instruction, ou lorsqu'elles sont autorisées par les politiques en raison de « menaces pour la sûreté de l'État ». En dehors de ces deux cas, les policiers ne peuvent avoir recours au moindre branchement. Un manque très sensible notamment dans les premiers moments qui suivent un acte criminel, alors que l'enquête se fait dans le cadre de ce que l'on appelle le « crime flagrant ». Faute d'ouverture d'information judiciaire, les policiers ne peuvent obtenir de commission rogatoire, alors qu'il peut leur sembler urgent de placer sur écoutes les protagonistes de l'affaire. Ils font alors une demande en trois exemplaires, transmise d'abord au directeur de leur service, puis au directeur de la Police judiciaire. Lequel va les autoriser en retour à brancher les écoutes demandées, avec toutes les apparences bureaucratiques de la légalité. Mais en toute illégalité. Tous les juges d'instruction sont parfaitement au courant. Personne ne dit rien.

Indics, écoutes illégales. Ce ne sont que deux exemples. Les juges sont bien contents d'avoir des informations, de mener à bien leurs investigations. Ils savent que, pour y parvenir, les policiers sont contraints d'en passer par des pratiques « marginales ». De se salir les mains. Ils l'acceptent. Parce qu'ils savent bien que, en cas de problème, ce ne sont pas eux qui se retrouveront en première ligne, mais les policiers et leurs chefs de service. Voilà une autre raison pour laquelle je souhaite un rattachement de la Police judiciaire à la Justice : cela responsabiliserait les magistrats. Et permettrait peut-être d'éviter le recours à certaines méthodes.

Après mon dessaisissement, j'ai eu le plaisir de voir plusieurs inspecteurs venir me proposer de déjeuner avec eux, pour oublier, ne serait-ce que le temps d'un repas, mes soucis.

Un mot, enfin, des Renseignements généraux, cette police qui a pour objet officiel de renseigner l'État sur les risques de troubles sociaux, les manifestations prévues, les grèves à venir. Mais aussi, ce qui me semble plus curieux et que j'ai découvert au gré de mon dossier, de renseigner le pouvoir sur les affaires judiciaires. Aussi bien celles en cours que celles qui risquent de se déclencher. Toutes celles en fait qui menacent d'être gênantes pour les gens en place ou pour leurs opposants.

Tout homme politique compétent se doit d'être informé. En ce sens, j'estime normal qu'un gouvernement se préoccupe de la situation sociale, voire judiciaire, du moment. En revanche, les enquêtes « parallèles » menées à ces fins posent problème. Tout policier possédant une information sur l'auteur d'un délit se doit d'aller trouver ses collègues ou le juge en charge de l'affaire. Sauf les Renseignements généraux. Ils ont des informations, parfois de première importance. Ils savent qu'un juge enquête depuis des mois sur le même sujet. Que peut-être les éléments dont ils disposent pourraient permettre de faire avancer l'enquête de façon spectaculaire. Pourtant, ils ont instruction de leur hiérarchie de ne pas communiquer à la justice. C'est un cas unique en France d'un service de l'État qui a ordre de ne pas aider, voire de faire obstruction à un autre service de l'État.

C'est pour cette raison que j'ai interrogé à plusieurs reprises la commissaire Brigitte Henri et son supérieur, le commissaire Yves Bertrand. Je savais que toutes mes questions ne serviraient à rien. Mais ce n'était pas une perte de temps. Car je voulais mettre le doigt sur ce fonctionnement anormal des institutions. Et de la démocratie.

Une véritable réforme du fonctionnement des Renseignements généraux reste à entreprendre.

Qui l'osera ?

10.
Les politiques

> Les rapports entre le judiciaire et le politique expriment parfaitement le cercle vicieux.
>
> Hubert Haenel
> et Marie-Anne Frison-Roche,
> *Le Juge et le Politique.*

Le monde politique et le monde judiciaire se sont longtemps ignorés. Dans des temps pas si anciens que cela, les juges d'instruction n'avaient dans leurs dossiers aucun nom d'homme politique. Et les hommes politiques pouvaient légitimement se désintéresser des juges et de la procédure pénale dans leurs discours et dans leurs programmes. Cette période est révolue. Depuis quelques années, les choses se sont inversées. Les politiques ont fait leur entrée en masse dans les palais de justice. Impossible de compter le nombre d'élus cités, impliqués, mis en examen ou condamnés dans des dossiers d'infractions ou de malversations. Le président de la République, un ancien Premier ministre, plusieurs anciens ministres, dont d'ex-Gardes des sceaux, le président du Conseil constitutionnel, les dirigeants et trésoriers de bon nombre de partis politiques, des maires de grandes villes comme Paris, Lyon,

Grenoble, des présidents de conseils régionaux ou généraux...

On peut comprendre que les hommes politiques aient pu se sentir agressés par la déferlante des affaires. Un sentiment que résume le président de l'Assemblée nationale Raymond Forni dans une formule au bazooka prononcée au cours d'une réunion : « Les juges d'instruction sont en guerre contre nous. » Selon cette théorie du complot, tous les juges de France se seraient réunis en secret, un beau soir, dans une cave, pour décréter que cela suffisait et que dorénavant il fallait s'en prendre aux politiques. Cette vision paranoïaque est à l'opposé de la réalité. Il n'y a jamais eu, je l'affirme ici, aucune action concertée des juges. Si je connais évidemment mes collègues parisiens en charge des dossiers concernant des personnalités politiques, nous n'avons jamais passé nos week-ends à échanger nos informations ou à mettre au point nos stratégies.

D'autres changements expliquent plus sûrement ces mutations politico-judiciaires. À commencer par ceux intervenus chez les juges eux-mêmes. Ils ont perdu les complexes hérités de l'époque gaulliste ou pompidolienne. Ils sont plus courageux. Pas tous, mais certains. Ils sont plus curieux, plus indépendants d'esprit. Et de la même façon qu'un sportif victorieux suscite dans la jeunesse des vocations pour sa discipline, quelques juges qui ont essayé de suivre jusqu'au bout leurs dossiers ont éveillé des envies chez certains de leurs collègues.

Mais pour moi, la raison principale de cette inflation des affaires est ailleurs. Il faut quand même rappeler que ces dossiers qui agitent tant l'opinion, les juges ne sont pas allés les chercher dans je ne sais quelle cachette. Ni les déterrer nuitamment, avec pelle et pioche, dans les jardins des ministères ou des partis politiques. Non. Ces dossiers leur ont été confiés le plus régulièrement du monde, et très officiellement, par le parquet. Les juges n'ont fait ensuite que leur métier. À cette accumulation d'affaires plus graves et plus complexes les unes que les autres, je vois deux vraies explications.

La première, c'est la décentralisation du début des années 80. Du jour au lendemain, des maires de petites communes et des conseillers généraux se sont retrouvés à la tête de marchés considérables, mettant en jeu des sommes colossales, sans y être préparés. Inexpérience, incompétence, fascination pour cet argent qui coule à flots : beaucoup d'élus ont perdu pied.

Et d'ailleurs, les auteurs du projet de décentralisation ont admis les risques de dérapage. C'est même pour tenter de les contenir qu'ont été créées dans le même temps les chambres régionales des comptes. Louable intention. Mais dans les faits, les contrôles des marchés publics par les chambres régionales se révèlent peu efficaces. L'insuffisance de leurs effectifs, face à l'ampleur de la tâche, conduit souvent ces juridictions à examiner un marché plusieurs années après sa signature. Le temps de boucler l'enquête, et d'éventuels faits délictueux sont prescrits. Au total, très peu de dossiers ont été transmis à la justice par les chambres régionales.

Il faudrait envisager une réforme en profondeur du code des marchés publics, et non plus se contenter de petites retouches, comme la modification des plafonds d'appel d'offres. Je suis pour ma part favorable à la création, par exemple, de commissions régionales, composées de fonctionnaires et de techniciens, chargées d'attribuer des marchés publics. Je suis persuadé qu'il y avait moins de corruption lorsque les marchés étaient traités par les spécialistes de l'administration préfectorale.

La seconde raison de la prolifération des affaires, c'est l'augmentation notable des dénonciations de faits aux différents parquets, assortie de la plus grande difficulté pour le pouvoir d'enterrer une affaire, tout simplement par le jeu des alternances. Les périodes de cohabitation successives ont beaucoup fait pour accroître le nombre de dossiers de corruption.

Quand pendant une trentaine d'années un seul courant politique dirige le pays et exerce son contrôle partout, il y a peu de chances que la moindre affaire sorte. Alors que pour une formation politique au pouvoir de façon plus éphémère, et qui le sait, grande est la tentation de concocter des dossiers conçus comme autant de bombes à retardement. Bombes qu'il suffit ensuite d'amorcer, en transmettant les dossiers à la justice, au moment de laisser la place aux suivants. Lesquels s'empressent en général de faire un bref audit sur les actes des sortants. Et de dénoncer tous les faits délictueux.

Finalement, les politiques peuvent bien reprocher aux juges d'instruire tant de dossiers à charge. Ils oublient simplement que, dans bien des cas, ce sont eux qui ont permis à la justice de les ouvrir.

Pour autant, faut-il crier comme certains au « tous pourris » ? Sûrement pas. Il existe dans tous les bords des élus honnêtes, qui pensent d'abord à défendre les intérêts de leurs concitoyens avant les leurs. Mais il existe aussi, il ne faut pas se voiler la face, des hommes politiques qui ont utilisé leurs fonctions pour s'enrichir personnellement. Je me souviens avoir lu dans le livre d'un homme politique que, selon l'auteur, 90 % de ses confrères avaient des comptes bancaires à l'étranger. C'est peut-être exagéré. Mais j'ai rencontré dans mes dossiers plusieurs maires dont l'enquête montrait qu'ils étaient titulaires de comptes en Suisse ou au Luxembourg.

La corruption prend parfois une autre dimension qu'un simple intérêt personnel. Récemment, à l'occasion d'un dossier, j'ai interrogé un mis en examen au passé sulfureux. Cet homme avait semble-t-il beaucoup travaillé pour certaines officines aux activités « parallèles ». Et selon ses dires, il avait été impliqué dans un trafic d'armes avec l'ex-Yougoslavie. C'est dans ce cadre qu'il m'a parlé d'un rendez-vous, en Belgique, dans un entrepôt. Il s'agissait de vérifier un chargement d'armes qui devait ensuite partir en ex-Yougoslavie sous couvert d'aide humanitaire. Arrivent au rendez-vous deux hommes bien habillés, aux apparences de la notabilité. Le visage de l'un des deux ne lui est pas inconnu.

Mais sur le moment, il est incapable d'y mettre un nom. Peu importe. Les visiteurs inspectent la cargaison, bombes, munitions, missiles. Le mis en examen est un homme méfiant et prudent. Il a, comme à son habitude, dit-il, pour ce genre de rencontre, placé une caméra dans l'entrepôt. La scène est ainsi fixée sur bande vidéo.

Bien plus tard, mon interlocuteur voit à la télévision un homme politique français de premier plan, ancien ministre de surcroît. Et là, il comprend. Celui de ses deux visiteurs dans l'entrepôt belge dont la tête lui disait quelque chose, c'est lui. Ce qui veut dire que, parfois, certains hommes politiques sont impliqués dans des affaires qui dépassent de loin ces histoires de corruption.

Il y a là sans doute une déviance très humaine. Lorsque l'on perd l'habitude de payer son loyer, ses voitures, ses billets d'avion, ses repas, ses notes d'hôtel et ses dépenses courantes, on finit par perdre toute notion de fonctionnement normal. La corruption commence souvent par ce sentiment que tout vous est dû. Que personne ne peut rien vous refuser. Une maison sur la Côte d'Azur ou des vacances tous frais payés à l'autre bout du monde. C'est ainsi, petit à petit, au compte-gouttes, que l'on quitte sans s'en rendre compte le monde des honnêtes pour celui des corrompus. Sans doute Alain Carignon, ancien maire de Grenoble, ancien ministre de l'Environnement, a-t-il été au départ un homme politique honnête, compétent et désireux de faire beaucoup de choses pour sa ville. Jusqu'à ce que les mirages du pouvoir à la tête d'une grande agglomération et d'un ministère important altèrent sa probité et sa faculté de s'insurger contre des pratiques douteuses.

Outre les cas d'enrichissement personnel, les pots-de-vin servent le plus souvent à financer un parti politique. Soit de façon très organisée, comme le Parti communiste ou le RPR, forts tous les deux d'une expérience remontant à l'après-guerre. Soit de façon plus simpliste, comme le Parti socialiste qui n'avait rien trouvé d'autre que de créer ouvertement une société, Urba, avec pour unique objet le financement du parti. Il était évident qu'un jour ou l'autre, un enquêteur tomberait dessus.

J'ai entendu un soir, dans l'émission « La marche du siècle », l'ancien maire de Lyon, Michel Noir, justifier ces pratiques. Selon lui, son ancien parti, qui avait besoin de personnel mais n'avait pas le moyen de le payer, avait été contraint d'avoir recours aux emplois fictifs. Oubliant au passage le principe simple et économique que toute entreprise privée connaît bien : quand on n'a pas les moyens, on n'embauche pas.

Il est vrai que la vie politique coûte de plus en plus cher : meetings à l'américaine, recours à des conseillers en communication, affichage géant, sites Internet, vidéo, CD-rom. Et face à cette débauche, la loi n'est pas du tout adaptée. Les plafonds de financement ont certes été abaissés, on a dit tantôt que seules les personnes morales peuvent financer les partis, tantôt au contraire que seules les personnes physiques sont en droit de le faire. Il y a eu de grands effets d'annonce. Mais ce n'est pas parce que la loi interdit de dépenser de l'argent que les campagnes électorales vont coûter moins cher. Et que l'on cessera d'avoir recours à des moyens officieux pour les payer.

Il faut avoir le courage de mettre tout à plat et de créer une vraie loi de financement des partis politiques, pourquoi pas en officialisant un financement par l'impôt. Faute de quoi, il y aura toujours des corruptions, des pots-de-vin et des pratiques illicites.

Évidemment, il n'est *a priori* pas très agréable pour un contribuable de se dire qu'il va devoir payer plus d'impôts pour financer les partis politiques. Mais au bout du compte, l'opération pourrait être neutre de son point de vue. En effet, il n'aura plus à payer par l'impôt un certain nombre de dépenses locales liées directement à la corruption. Car une entreprise qui a payé des pots-de-vin pour décrocher un marché public fait toujours en sorte de récupérer cette « taxe ». Par exemple en majorant à l'avance le prix de ses prestations. Ici, le mètre cube d'eau sera inflationniste, là, des logements sociaux coûteront un peu plus cher que prévu. Dans tous les cas, c'est le contribuable qui honorera la facture.

Les hommes politiques, et les premiers d'entre eux, disent qu'avant les lois d'amnistie de 1990 et 1991, ils ignoraient être hors la loi. Mais que depuis qu'ils savent, ils se conforment aux textes. Il faut quand même rappeler qu'un bon nombre d'affaires de financement politique, dont celle des HLM de Paris, sont postérieures aux amnisties. Et donc que les pratiques antérieures se sont poursuivies. Ils peuvent bien, face aux caméras de la télévision, jurer la main sur le cœur que tout cela est de l'histoire ancienne et que la corruption a disparu. Les chefs d'entreprise que j'ai rencontrés affirment eux le contraire : cela continue comme avant. D'où la nécessité d'une loi, bien préparée et bien votée, sur le financement de la vie politique.

Plusieurs de mes collègues m'ont demandé ce que je pensais des hommes politiques que j'avais rencontrés à l'occasion de mes dossiers. J'ai surtout été surpris de constater que, face à moi, ils avaient en général un comportement digne du délinquant de base. Confrontés aux premières questions gênantes, ils répondent tous systématiquement sur le mode « je n'étais pas au courant », « je ne m'occupais pas de ça », « je ne savais pas que c'était illégal », « ce n'est pas moi ». Jamais je n'ai vu un politique reconnaître spontanément un fait qui lui était reproché tant que je ne lui avais pas montré les éléments à charge du dossier ou qu'il n'avait pas été confronté à ses accusateurs.

D'autre part, ils ont une attitude assez méprisante vis-à-vis de ce « petit juge » qui ose les déranger dans leur vie politique et contrarier leurs objectifs de carrière. Avec des tirades prêtes à l'emploi : « Comment osez-vous supposer que moi, ancien directeur du cabinet de Machin, ancien préfet de Chose, ancien conseiller diplomatique de Truc, moi qui ai ces si brillants états de service, je me serais laissé entraîner à commettre telle infraction ? » Comme s'il existait une catégorie particulière d'hommes, celle des hommes politiques, qui serait la seule à ne jamais commettre la moindre infraction.

Il est vrai que des hommes politiques mis en examen ont été contraints de démissionner de leurs fonctions ou de leurs mandats. Je comprends qu'il puisse être désagréable de constater qu'après avoir éventuellement obtenu un non-lieu ou une relaxe, un temps précieux a été perdu. Cela étant, tous les jours, dans tous les cabinets d'instruction de France, des gens sont mis en examen, avec le risque pour eux de perdre leur travail et de voir s'éloigner famille et amis. Eux ne pourront ensuite compter que sur eux-mêmes pour se remettre sur pied. Alors que le politique qui perd un mandat ou un portefeuille saura faire jouer ses relations et retrouvera très vite une situation. Après avoir été contraint de quitter la politique, Michel Roussin a ainsi été embauché au poste de directeur général d'une grosse entreprise du BTP. Quant à Dominique Strauss-Kahn, il ne me semble pas qu'il soit aujourd'hui particulièrement dans la difficulté.

Ce constat m'amène à évoquer ici la présomption d'innocence. Les hommes politiques ont découvert cette notion très récemment. À peu près en même temps qu'ils étaient mis en cause dans des affaires. Auparavant, ils s'étaient très bien accommodés de la publication dans les journaux des noms de personnes mises en cause, ou des conférences de presse de certains ministres de l'Intérieur annonçant des arrestations de présumés terroristes. Mais le vent a tourné. Et les élus se sont mués en farouches défenseurs de la présomption d'innocence, la leur, pour l'essentiel, en s'en prenant aux mises en examen.

Le problème n'est certainement pas là. Le problème n'est pas qu'un juge mette quelqu'un en examen alors qu'il estime avoir des charges contre lui. L'éventuel problème est celui du récit qui en est fait dans la presse. Mais si je suis favorable de façon générale à une totale interdiction de publicité, on peut se demander s'il n'est pas normal que des citoyens, et donc des électeurs potentiels, soient informés des faits qui sont reprochés à leurs élus. Le secret de l'instruction, une fois rétabli dans sa plénitude, pourrait de mon point de vue faire une seule exception pour les hommes politiques. À condition que cette publication de la décision du juge s'accompagne d'une plus grande explication de ce qu'est une mise en examen, précisant qu'elle ne signifie pas culpabilité et surtout qu'elle n'aboutira pas nécessairement à une condamnation.

J'en arrive aux décisions de non-lieu ou de relaxe qui ont été prononcées ces derniers temps et dont on a beaucoup parlé. Il ne s'agit en la matière que du fonctionnement absolument normal de la Justice. Un juge d'instruction met en examen lorsqu'il estime qu'il y a des charges contre quelqu'un. Puis l'enquête se poursuit. De nouveaux témoignages sont recueillis, de nouveaux éléments sont découverts lors de perquisitions. Autant de faits nouveaux qui peuvent dans le cours des investigations enfoncer ou au contraire blanchir totalement le mis en examen. Et dont le juge tient compte en fin de dossier pour éventuellement prononcer un non-lieu s'il estime que les charges ont faibli.

De la même façon, il est tout à fait normal que des juges différents n'aient pas la même appréciation d'une affaire. Le juge d'instruction peut ainsi considérer que les charges sont suffisantes et renvoyer le mis en examen devant le tribunal. Lequel tribunal peut avoir une appréciation différente et accorder la relaxe. C'est ce que l'on appelle la Justice des hommes. Et je trouve cela non seulement normal, mais souhaitable.

Là en revanche où l'on peut se poser des questions, c'est que dans pratiquement toutes les affaires qui touchent des hommes politiques, il y a des non-lieux, des relaxes, voire des peines insignifiantes. Au lieu de critiquer le fonctionnement de la justice en pensant qu'elle est trop sévère à leur encontre, peut-être que les hommes politiques devraient se demander si au contraire ils ne bénéficient pas d'une certaine clémence de la part des tribunaux de France.

11.
Les journalistes

> Vrai ou faux, ce qu'on dit des hommes tient souvent autant de place dans leur vie et surtout dans leur destinée que ce qu'ils font.
>
> Victor Hugo, *Les Misérables*.

Juges et journalistes ont un secret entre eux. Un secret qu'ils ne partagent pas. Celui de l'instruction. C'est du moins ce que prévoit la loi. Mais la pratique quotidienne de mon métier, la confrontation quasi permanente avec la presse, m'oblige aujourd'hui à dresser un autre constat.

J'ai toujours été un ardent défenseur du secret de l'instruction, pour deux raisons. D'une part, il respecte la présomption d'innocence en évitant de jeter en pâture à l'opinion des gens qui ne sont pas encore condamnés. Les affaires récentes sont pleines d'exemples de personnalités dont on a étalé la mise en examen en première page. Alors qu'au terme de l'instruction, ils ont bénéficié d'un non-lieu passé inaperçu. D'autre part, le secret favorise la progression de l'enquête. Si les journaux annoncent non seulement ce qui a été fait, mais aussi ce qui est peut-être envisagé, il y a peu de chances d'agir avec efficacité. Peu après ma perquisition chez

Jean Tiberi, la presse a claironné partout que d'autres perquisitions étaient sans doute envisagées dans les jours suivants, notamment à la mairie du Ve et à la mairie de Paris. Si j'avais eu l'intention de faire ces opérations, il est évident que j'aurai dû changer ma stratégie. Une perquisition annoncée est une perquisition vaine.

Défenseur du secret de l'instruction, je refuse donc de prendre les journalistes au téléphone quand ils se mettent à appeler dans le cadre de l'affaire des HLM de Paris. Mais très vite, cette ligne de conduite s'avère intenable. Il n'est pas très difficile pour les journalistes d'obtenir mon numéro direct au bureau. Certains rusent avec le standard, se faisant passer pour des policiers qui doivent me joindre un peu plus tard. D'autres récupèrent plus simplement l'annuaire du palais de justice. Il leur suffit ensuite d'appeler en fin de journée, lorsque ma greffière est partie, pour être sûrs de tomber directement sur moi. Il y a même des journalistes qui viennent à Créteil sans prévenir, montent à l'étage de l'instruction et rôdent dans le couloir jusqu'à ce que ma porte s'ouvre. Là, ils se présentent et demandent à me parler deux minutes.

Les tribunaux ne sont pas équipés pour résister au flux des médias lors de certaines affaires. Alors qu'en interdisant de façon plus efficace l'accès direct des journalistes aux cabinets d'instruction, on éviterait déjà quelques problèmes.

Il est difficile en effet de claquer la porte ou de raccrocher au nez d'un de ces curieux, qui ne font après tout que leur métier. Surtout qu'ils connaissent les ficelles. La plus usitée est sans doute celle qui consiste à appâter le juge d'entrée de jeu, en évoquant par exemple une information essentielle ou une pièce de première importance en leur possession. Dès lors, l'instinct de l'enquêteur reprend le dessus. Faut-il se passer d'un élément qui peut être utile à la manifestation de la vérité, sous le seul prétexte qu'il vient d'un journaliste ? À l'époque, j'ai estimé que non. Que je n'avais pas le droit de laisser passer l'occasion de recevoir une information fondée. D'autant que dans ce genre d'affaires politico-financières, les sources peuvent être multiples. On en parle dans certains dîners parisiens, à l'Assemblée nationale, dans les milieux du patronat, et les journalistes sont susceptibles d'avoir vu, entendu ou lu des choses réellement intéressantes. Depuis, je me suis rendu compte qu'en règle générale il ne s'agissait que de leurres grossiers. Dans les trois quarts des cas, l'information promise ne valait rien. Si ce n'est un prétexte pour nouer le contact.

Pour éviter cet écueil, je tenterai d'adopter une ligne de conduite « à la normande ». En ne répondant jamais ni oui ni non. Mais lorsque les rumeurs courent, et qu'elles peuvent avoir de graves conséquences si on les laisse courir, le juge ne peut rester silencieux. Quelques jours avant l'élection présidentielle de 1995, un journaliste me demande s'il est exact que Jacques Chirac est convoqué devant moi pour être entendu. Je ne peux pas éluder. Refuser de répondre, c'est aussitôt laisser entendre que c'est vrai. La rumeur va enfler, au risque de prendre une importance démesurée dans la joute électorale. Je préfère alors répondre, dire « non, c'est faux », et couper le cou à ces allégations mensongères.

À partir de ce jour-là, je prendrai le parti de répondre oui ou non. Sans aller plus loin.

Mais puisque les informations sortent, parfois même à jet continu, des dossiers d'instruction, et que ce n'est pas le juge qui parle, d'où viennent-elles ? Le choix est vaste. Au sein d'un tribunal, le juge et son greffier ne sont pas les deux seuls à connaître le contenu d'un procès-verbal. Les employés du service de reprographie voient passer entre leurs mains chaque pièce. Il faut savoir que dans des dossiers importants, la photocopieuse fonctionne en permanence : les avocats – et ils peuvent être des dizaines sur la même affaire – demandent sans cesse des copies du dossier, copies que le tribunal est obligé de fournir. Il y a aussi les secrétaires qui tapent certains rapports, les policiers du dépôt qui assistent aux interrogatoires des détenus. Il ne s'agit évidemment pas d'accuser tel ou tel, d'autant qu'en général les fuites ne viennent pas de ces employés. Seulement de noter qu'à ce simple stade, il y a déjà plus d'une dizaine de personnes qui ont accès à une partie ou à la totalité du dossier.

Et puis vient le parquet. Dans les affaires sensibles, le procureur tient à être informé des grandes étapes. C'est le cas du dossier des HLM de Paris. Dès que je procède à une audition importante, le représentant du parquet, en l'occurrence le substitut Marc Brisset-Foucault, attend dans le couloir que la porte s'ouvre et que la personne sorte. Pour immédiatement s'engouffrer dans mon bureau et demander une copie du procès-verbal. Il ne se passe parfois pas trente secondes entre la fin de l'audition et la communication de son compte rendu au parquet.

Une fois informé, le substitut rend compte au procureur. Lequel fait faire un rapport pour le parquet général, qui tient le rôle du parquet au sein de la cour d'appel. Le parquet général avise alors la Chancellerie, tant au niveau de la Direction des affaires criminelles et des grâces qu'à celui du cabinet du ministre. Fin du périple judiciaire, durant lequel un élément du dossier, couvert par le secret de l'instruction, est passé par des dizaines de mains, et sous autant de paires d'yeux. Un jour, un substitut m'a dit avoir retrouvé dans un article paru dans la presse des pans complets de l'un de ses rapports au parquet général.

Côté police, c'est la même chose. Les inspecteurs qui enquêtent sur le terrain rendent compte à leur chef direct, à savoir le commissaire qui dirige leur service, à la fois de ce qu'ils découvrent lors des perquisitions et des auditions, et des instructions que leur communique le juge. Le commissaire rend compte au sous-directeur des affaires économiques et financières de la Préfecture de police. Qui rend compte au directeur de la Police judiciaire et à son cabinet. Qui rend compte au préfet de police et à son cabinet. Qui informe au ministère de l'Intérieur la direction compétente et le cabinet du ministre.

Résultat : une bonne cinquantaine d'intervenants sont au courant d'un acte supposé rester secret. À ces

« relais » officiels et quasi obligés s'ajoutent des intervenants indirects. Par exemple, les Renseignements généraux. Un jour, je suis en perquisition au domicile de la commissaire Brigitte Henri, qui suit les affaires financières à la direction centrale des RG. La fouille est en cours depuis à peine une demi-heure que le téléphone sonne. Surprise, c'est le directeur des RG en personne, Yves Bertrand, qui vient aux nouvelles. Il veut savoir si tout se passe bien, si le juge est gentil avec sa collaboratrice, glissant au passage qu'il a été informé de la perquisition par… la Chancellerie. Certains services du pouvoir, concernés par une enquête, vont aussi tenter de s'immiscer dans le dossier. Je sais de source sûre que, dans une affaire pouvant concerner un ministre, les policiers chargés des investigations avaient reçu ordre de transmettre les procès-verbaux d'audition… directement audit ministre.

Il y a enfin ces liaisons parallèles liées à l'amitié et qui sont autant d'occasions de fuites. Un policier ami d'un autre policier lui glisse deux mots de son enquête, ce dernier raconte à un ami avocat qui en parle à son copain journaliste, et ainsi de suite. Il y a également ce que les gens appellent pudiquement des « relations philosophiques ». Et enfin, il y a évidemment les parties en cause et leurs avocats. Pas question d'accuser ici les avocats de tous les maux ni de toutes les turpitudes. Mais il m'est arrivé de surprendre des communications d'avocats à la presse dès la fin d'une audition. Quand cela ne se fait pas pendant, comme ce représentant du barreau qui sort de mon bureau au beau milieu de l'interrogatoire de son client, pour répondre sur son téléphone portable aux questions d'un journaliste. Si tant d'avocats pénalistes prennent des notes durant un interrogatoire dont ils auront la copie quelques jours après, c'est surtout pour pouvoir rendre compte au plus vite des propos de leur client auprès de leurs amis journalistes. Il est également fréquent de voir un avocat venir chercher la copie d'un procès-verbal, et de retrouver le lendemain des morceaux choisis du PV dans la presse.

Tout cela pour expliquer qu'il est un peu facile de montrer du doigt le juge d'instruction, quand tant d'autres personnes ont accès à ses dossiers, peuvent en parler et ne se gênent pas pour le faire. Et pour faire comprendre les raisons qui m'ont fait changer de position quant au secret de l'instruction. Ma théorie pure et dure d'un secret absolu, soumise à l'épreuve des faits que je viens de relater, ne me semble plus très réaliste. Dans une affaire d'importance, les informations arriveront toujours à la presse.

Il ne reste à mes yeux que deux solutions extrêmes. Soit on opte pour un secret total, et il faut interdire à la presse de rendre compte des enquêtes en cours. Ce qui signifie aussi la mise en place d'un système de sanctions efficaces, comme de fortes amendes ou des suspensions de parution, à l'encontre des journaux qui braveraient l'interdit. Mais je ne suis pas sûr qu'il y ait beaucoup de volontaires pour s'attaquer à la sacro-sainte liberté de la presse. J'ai un jour rencontré un Garde des sceaux, dans le cadre de l'Association française des magistrats instructeurs, dont j'ai été vice-président. Nous avions parlé de ce problème du secret de l'instruction. Et le ministre m'avait avoué que jamais un politique n'oserait se lancer dans pareille aventure.

Le secret absolu a également une autre limite. Il signifie en effet l'interdiction pour toute personne s'estimant injustement accusée de faire appel à la presse et donc à l'opinion. Ce que nous appelons ce légitime « droit au cri » ferait irrémédiablement les frais de mesures draconiennes.

Seconde option, totalement inverse, on supprime purement et simplement le secret de l'instruction. Pas pour que les juges se massent en nombre devant les studios de télévision. Mais pour qu'une information minimale soit délivrée par un porte-parole de l'institution judiciaire. Quitte, pour rétablir l'équilibre, à interdire aux journalistes de citer le nom du juge chargé de l'instruction.

La fin du secret priverait, au passage, certains d'un moyen de pression et de déstabilisation du juge. L'une des méthodes traditionnelles consiste en effet, pour l'une des parties en cause, à laisser entendre que le juge viole le secret de l'instruction et à porter plainte contre lui. J'ai déjà été entendu par deux de mes collègues, à la suite de plaintes déposées par celle que la presse a baptisée « la banquière du RPR », Louise-Yvonne Casetta, et par le maire de Paris, Jean Tiberi. Le fin du fin étant d'organiser soi-même la fuite avant d'en accuser le juge. Il suffit par exemple d'appeler discrètement les journalistes sur le lieu d'une perquisition dans ses propres locaux, puis de s'étonner de leur présence, avant de désigner le magistrat comme étant l'informateur indélicat. Ne reste plus alors qu'à le traîner devant un juge, pour faire diversion et ralentir l'enquête, puis à le faire savoir, pour le salir et jeter la suspicion sur sa probité. Coup double…

Les journalistes d'investigation

L'affaire des HLM m'a permis de découvrir une catégorie particulière de la corporation des gens de presse : les journalistes d'investigation. Du temps où j'étais encore naïf, je pensais que leur métier était… d'investiguer. Erreur. Le journalisme d'investigation consiste d'abord et surtout à rendre visite régulièrement à son correspondant habituel des Renseignements généraux. C'est LA source. Celle qui distille les bons tuyaux, qui aiguille la curiosité vers les pistes à suivre, qui confie même parfois la copie d'un document intéressant. J'ai eu entre les mains l'agenda de la commissaire Brigitte Henri : nombre de rendez-vous avec des journalistes y figuraient.

Le métier veut aussi que l'on cultive de bonnes relations avec quelques avocats en vue, grâce à de sympathiques déjeuners dans de grands restaurants parisiens. L'investissement est particulièrement rentable. Un bon ami avocat va en effet, au cours des années, traiter de nombreuses affaires. C'est la promesse d'une moisson régulière de renseignements tirés des dossiers. Tandis qu'un juge, s'il a une fois dans sa carrière une affaire un peu médiatique, peut disparaître ensuite très vite du devant de la scène. À quoi bon tenter alors de s'attirer ses bonnes grâces par des manifestations assidues de pseudo-amitié durant des mois et des mois, pour devoir ensuite tout recommencer avec un autre ?

Ces avocats très introduits dans les rédactions parisiennes tirent également bénéfice de leurs liens avec les journalistes. À force d'aider leurs correspondants, de les renseigner, de les inspirer pour leurs articles, ils finissent pratiquement par écrire par procuration. On peut même se demander si, dans une certaine mesure, l'opinion publique n'est pas ainsi manipulée par quatre ou cinq avocats parisiens.

De temps en temps, le journaliste d'investigation va quand même essayer d'appeler un juge ou un substitut, pour avoir la confirmation d'une information qu'il a déjà de façon très précise. Et puis c'est tout. À de rares exceptions, et je pense notamment ici au *Canard enchaîné*, qui a pratiquement été le seul journal à publier des articles en périphérie de l'affaire, avec des informations nouvelles par rapport à ce qui figurait dans mon dossier, les journalistes d'investigation ne font donc pas d'enquête.

En revanche, ils savent faire de drôles de choses. J'ai par exemple le souvenir de cette visite d'un journaliste, un soir, à Créteil. Je n'en suis qu'au début de mes investigations sur l'Opac. L'homme est venu sans s'annoncer pour m'expliquer des choses. Je le reçois quelques instants. Et je suis éberlué. Il me raconte comment, dans une autre affaire, il a fonctionné « main dans la main » avec le juge d'instruction, et que cela a donné « de bons résultats ». Je ne sais pas ce qu'il entend par là. Mais lui est sûr d'une chose : il faut que lui et moi fonctionnions

« en duo ». Lorsque je l'éconduis, la colère et la déception se lisent sur son visage.

Autre exemple, au moment où mon beau-père est en garde à vue et que le tourbillon de l'affaire manque de me balayer. Je suis au fond du gouffre. Les pontes de la presse parisienne, directeurs de journaux et rédacteurs en chef en tête, viennent me soutenir à Créteil. L'un d'eux en profite au passage pour me demander de lui donner la copie du procès-verbal de la perquisition fiscale qui avait eu lieu chez Jean-Claude Méry. Moralité, ne jamais oublier que, même dans les pires moments, les journalistes ne sont là que pour soutirer de l'information, encore de l'information, et toujours de l'information.

Enfin, un mot quand même sur quelques journalistes qui se sont vantés dans Paris de très bien me connaître, d'être mes amis. Ces gens-là, je ne les ai jamais rencontrés. J'ai peut-être parlé à l'un ou à l'autre, un jour, dix secondes au téléphone. Qu'importe. Dans leur métier, l'important, c'est aussi de paraître. Paraître avoir les informations, paraître connaître le juge. Jusqu'à en rajouter dans l'affabulation. « Le juge ? Il est très sympathique. D'ailleurs, on parle beaucoup tous les deux. » À force de courir, ces bruits finissent par ternir une réputation. Et par faire d'un silencieux un grand bavard.

Évidemment, les hommes politiques ne se privent pas de s'engouffrer dans la brèche, laissant entendre à longueur d'interviews ou au détour de leurs fameuses « petites phrases » que je ne suis sans doute pas pour rien dans le fait que l'essentiel de mon dossier s'étale dans la presse. Ils n'ont d'ailleurs pas lésiné sur les propos diffamatoires. Je n'ai intenté que deux actions. Contre Pierre Mazeaud qui m'a comparé à Mgr Gaillot et à lady Di. Et contre Bernard Tapie, qui a pris de façon surprenante la défense de Jean Tiberi à la télévision, en expliquant que Jean Tiberi ne pouvait absolument pas se défendre contre toutes les « saloperies » *(sic)* que le juge Halphen balançait sur lui aux journalistes.

Dans les deux cas, j'ai gagné (mais, en échange d'une lettre d'excuses, j'ai accepté de me désister de mon action contre Pierre Mazeaud). Puis je me suis lassé, et j'ai renoncé à poursuivre toutes les autres diffamations. Faute de quoi, il aurait fallu que j'y passe mes journées. J'avais mieux à faire.

Autant dire que je ne crois pas beaucoup à ce que certains appellent le « couple » juge-journaliste. À cette connivence qui unirait un bien étrange attelage. Ainsi, les juges auraient besoin des journalistes pour « débloquer » des affaires, inciter le parquet à leur donner les feux verts dont ils ont besoin pour poursuivre leurs enquêtes. Et les journalistes auraient besoin des juges pour nourrir leurs articles.

Il est exact que les juges sont parfois satisfaits de trouver dans la presse un relais efficace. Des réquisitoires supplétifs ont été accordés par le parquet face à la crainte d'un mauvais effet dans l'opinion. Des informations judiciaires ont été ouvertes à force d'articles les réclamant. Il ne faudrait pas en conclure pour autant que les juges recherchent cette alliance. Ce n'est pas parce qu'un effet vous convient que vous en êtes la cause. En ce qui me concerne, il ne m'est jamais arrivé d'appeler un journaliste pour lui confier des éléments de mes dossiers et lui demander d'en parler. Jamais.

Mais la situation est en train d'évoluer. La connivence, même si elle n'était qu'apparence, n'est plus à la mode. Sans doute les journalistes se sont-ils rendu compte qu'ils étaient allés un peu loin en prenant tout le temps le parti des juges, en encensant les enquêteurs, en décortiquant les découvertes des instructions. Le traitement des affaires dans la presse est désormais soumis à d'autres règles. De plus en plus, c'est le travail du juge d'instruction qui est sur la sellette. Chacune erreur ou maladresse supposée du magistrat est montée en épingle, chaque faute de procédure vertement critiquée. Peu à peu s'installe une sorte d'évidence : le meilleur juge d'instruction de France, c'est évidemment le journaliste d'investigation. Tous les autres, tous ces gens qui peuplent les palais de justice, ne sont que de bien petites choses à côté de lui.

Oubliant que le juge a besoin de preuves, le journaliste, fustigeant au passage la lenteur du magistrat, se contente de quelques présomptions pour désigner ses suspects, pour accabler ses propres coupables. Dominique Strauss-Kahn en sait quelque chose. Au départ de son affaire, il est dépeint par la presse quasiment comme un affairiste mafieux. Il a facturé ses conseils hors de prix, il a fait des faux, il a bénéficié d'une salariée payée par d'autres, etc. Arrive la relaxe. Est-ce que les journalistes se remettent en question ? Se demandent-ils s'ils n'ont pas enfoncé le clou un peu trop vite et un peu trop loin ? Que non. Tout est de la faute du juge, qui était moins bon qu'on ne le pensait. Je trouve cela un peu facile.

Pour ce qui me concerne, lorsque le nom de Michel Roussin (alors ministre du gouvernement Balladur) est apparu dans mon dossier et que j'ai décidé de le mettre en examen, toute la presse a été unanime. La mise en examen était logique, normale, son nom était cité plusieurs fois, ses initiales apparaissaient dans les agendas de Méry en face d'une somme d'argent, il était directeur de cabinet du maire de Paris à l'époque des faits, cette mesure était inévitable. « Compte tenu de ces éléments qui constituent des présomptions de délit, la mise en examen du ministre entrait dans la logique judiciaire, M. Roussin ne pouvant plus dès lors être entendu comme simple témoin », écrivait *Le Monde* dans son numéro des 13 et 14 novembre 1994. Un peu plus d'un an après, j'ai prononcé un non-lieu. Depuis, la presse me reproche d'avoir inculpé Michel Roussin. Récemment, le même *Monde*, commentant mon dessaisissement, faisait de cette mise en examen une des erreurs que j'aurais, selon le journaliste, commise. Il y a parfois des raisonnements que j'ai du mal à suivre.

La médiatisation

Un jour, dans un colloque, un juge québécois m'interpelle. « Je vous connais très bien, je vous vois partout. Mais dites-moi comment cela se fait… Chez nous, au Canada, ce ne serait jamais possible. » Car si les journalistes font parfois leur réputation et leur carrière sur le dos des juges, à l'inverse, des juges peuvent se retrouver du jour au lendemain sur le devant de la scène médiatique uniquement par la grâce de quelques articles ou reportages. Et sans avoir rien fait pour cela. Un acteur, un sportif, un artiste, un homme politique, recherchent à juste titre la célébrité. Dans leur domaine d'activité, c'est un signe de réussite. Il en va autrement avec le juge d'instruction. On devient juge pour chercher la vérité, non une gloire éphémère. Je ne connais pas un seul juge d'instruction qui le soit devenu parce qu'il avait envie de voir son nom dans le journal.

Cela pour expliquer que ce n'est pas parce qu'une affaire judiciaire est médiatisée que c'est le juge qui l'a voulu, qu'il en rajoute et qu'il devient médiatique. Rien ne m'agace plus que lorsque j'entends dire « le médiatique juge Halphen ». Je ne suis pas médiatique. Je suis médiatisé. Ce qui n'est pas du tout la même chose. Il y a entre les deux une question de volonté qui change tout.

J'ai reçu de très nombreuses sollicitations. J'ai été invité dans les journaux télévisés des grandes chaînes nationales, j'ai été approché par des télévisions japonaises, canadiennes. Tous les journaux de presse écrite m'ont proposé des interviews, jusqu'au *Washington Post* et au *New York Times*. Jusqu'à maintenant, j'ai toujours refusé. Et je continue de penser qu'un juge d'instruction n'est pas un homme public. Je sais que certains de mes collègues, avec qui j'en discute parfois, ne sont pas d'accord. Eux estiment qu'un juge est dorénavant un personnage qui doit savoir prendre la parole pour attirer l'attention sur tel ou tel problème, donner des interviews, parler à la radio ou à la télévision. Moi pas. Cela heurte mon éthique, le sens élevé que j'attache aux mots « secret » et « réserve ».

De la même façon tant que j'ai été en activité, j'ai refusé de poser pour les photographes. À une exception près, un jour où les reporters étaient tellement nombreux à m'attendre devant le tribunal que j'ai dû accepter de faire monter les photographes dans mon bureau pour prendre quelques clichés. C'est tout. Je connais des collègues qui non seulement se font un plaisir de poser devant les objectifs, mais qui en plus osent appeler le journal avant la parution de l'article pour savoir quelle photo a été retenue et pour demander qu'éventuellement on choisisse leur meilleur profil...

Mais ce n'est pas toujours facile d'échapper aux photographes et à leurs méthodes parfois musclées. L'un d'eux m'a appelé un jour, à mon bureau, pour me dire qu'il était en bas du palais, devant ma voiture qu'il avait repérée. Et qu'en sortant j'avais deux solutions. Soit je faisais comme d'habitude, à savoir mettre mes mains devant mon visage. Auquel cas, je serais impitoyablement poursuivi jusque chez moi par la meute. Soit je ne me cachais pas, et je pourrais partir tranquillement. Solution que j'ai évidemment adoptée.

La course-poursuite évitée ce jour-là, je l'ai vécue quelques mois plus tard, au moment de ma convocation du président de la République. Cela faisait plusieurs jours que les photographes faisaient le siège du tribunal pour faire des photos récentes. Il semble en effet que, dans ce métier, des photos datant de quelques mois ne soient plus acceptables. Même si vous n'avez pas changé de visage entre-temps, les rédacteurs en chef des grandes agences de photo veulent des clichés du jour. Face à la menace, j'avais mis au point un itinéraire dérobé me permettant d'accéder au palais de justice sans être vu, au grand désespoir des journalistes qui ont fini par se douter du piège. Un soir, au moment de partir, je regarde par la fenêtre, comme d'habitude, pour voir si la petite troupe est à son poste. Personne. Puisque la voie est libre, je sors par la grande porte. Et je les vois. Ils s'étaient simplement déplacés d'une centaine de mètres pour se cacher. J'ai à peine le temps de démarrer que j'ai à mes trousses plusieurs motos et voitures. Je décide de tenter de les semer. Je tourne un peu dans la banlieue, Maisons-Alfort, Alfortville, etc. En vain. J'accélère, ils accélèrent. Je ralentis, ils ralentissent. Je retourne vers Paris, eux aussi. Et le petit jeu devient dangereux. Pour les décrocher, je grille des feux rouges. Ils les brûlent aussi. En désespoir de cause, j'avise une voiture de police. Par chance, les hommes à son bord me reconnaissent. Je leur demande de bien vouloir retarder mes poursuivants, ce qu'ils font très gentiment. Prétextant un contrôle d'identité, ils bloquent une partie de la caravane. Malheureusement, quelques motos parviennent à se faufiler et à leur échapper.

Je serai finalement obligé de m'arrêter et de négocier avec eux la fin de la poursuite. Je m'en sortirai en acceptant d'être pris de loin, un moindre mal, alors qu'ils voulaient pratiquement organiser une séance de pose, en me faisant sortir d'un café avec un air naturel, « pour faire une belle photo ».

Une petite précision enfin pour répondre à ceux qui prétendent que les juges, en s'attaquant aux « puissants », viseraient surtout à acquérir une notabilité, à se faire un nom aux dépens de celui de leur mis en examen, à prendre une prétendue revanche sociale. En dépit de quatre courriers des éditions Charles Lafitte, j'ai toujours refusé de figurer dans le *Who's who*.

Reste que cette notoriété qui vous tombe dessus un beau jour, et à laquelle rien ne vous a préparé, il faut apprendre à vivre avec. Et ce n'est pas toujours facile. Au début, je reconnais avoir trouvé « amusant » d'entendre mon nom à la radio, aux informations. Je me souviens même très bien de la première fois. J'écoutais Paul Lefèvre, alors chroniqueur judiciaire d'Europe 1, lorsqu'il s'était mis à parler du « juge Halphen ». Cela fait une impression curieuse. Comme s'il s'agissait de quelqu'un d'autre. Ensuite, on s'habitue, avant que s'installent l'indifférence d'abord, l'agacement ensuite. Au point qu'aujourd'hui je suis fatigué de ce personnage, « le juge Halphen », qui me suit partout, qui me ressemble sans vraiment être moi. J'aimerais bien redevenir enfin Éric Halphen.

Pour l'avoir connue, en tout cas, je suis sûr d'une chose : la notoriété n'a rien à voir avec le bonheur.

12.
Les avocats

En mémoire d'Agnès Livarek

> Il y a deux genres d'avocat : celui qui connaît bien la loi, et celui qui connaît bien le juge.
>
> Coluche.

J'ai été invité un soir à assister au concours d'éloquence des candidats à la « conférence du stage », laquelle désigne chaque année les futurs ténors du barreau. L'exercice est de pure forme, mais il n'est pas sans conséquence. Les douze heureux élus de chaque promotion intègrent cette fameuse conférence, véritable caste au sein de la profession. Les nouveaux savent qu'ils pourront compter sur les anciens.

La cérémonie annuelle et sa joute oratoire se déroulent devant un parterre d'avocats et de personnalités, aimablement conviées elles aussi à prononcer un petit discours. Mon tour venu, j'avais choisi d'évoquer certaines pratiques en usage dans le milieu des avocats pénalistes, pratiques que j'estimais assez éloignées du code de déontologie. Dire que mes paroles furent accueillies dans l'enthousiasme général serait exagéré.

Mais elles ont pourtant délié quelques langues. Pas en ma présence, non. Plus tard, en petit comité, hors de portée des oreilles invitées. Lorsque l'on se retrouve entre soi. Face aux jeunes plaideurs naïfs, selon lesquels j'avais dit « n'importe quoi », les vieux routiers du barreau avaient tempéré les protestations, glissant que, ma foi, ces drôles de choses évoquées par ce juge se passaient aussi et qu'il valait mieux le savoir.

Il est vrai que pour un non-initié, la réalité que j'évoquais dans mon exposé dépasse parfois la fiction. Comme ces avocats qui glissent des enveloppes aux surveillants de prison pour que ceux-ci donnent leur nom aux détenus qui n'ont pas encore de défenseur. Ou pour porter chaque soir, à heure fixe, un téléphone portable dans la cellule de leur client, lequel peut ainsi continuer son business lucratif. Il y a aussi ces avocats envoyés par le « chef » du mis en examen. Un responsable inconnu de la justice qui tient à le rester. Il prend en charge les honoraires de l'avocat à qui il confie deux missions : sortir son adjoint de prison si possible, et surtout faire en sorte que le détenu n'évoque jamais, mais alors jamais, son nom à lui. Pour illustrer mon propos, j'avais même cité cette histoire que m'avait racontée un avocat. Il avait vu arriver un matin dans son cabinet un grand Black très élégant, costume de bonne coupe et attaché-case en cuir. Dans la mallette, des liasses, en vue du marché à conclure. L'avocat a refusé, du moins c'est ce qu'il m'a dit, de peur de se retrouver pieds et poings liés dans cette affaire.

Récemment, le jeune avocat d'un mis en examen dans l'un de mes dossiers est venu me voir, effaré. Il partageait la défense avec un autre confrère, plus « expérimenté », sans doute, ou simplement plus retors. Connaissant bien l'affaire, il savait parfaitement que son client allait passer encore un bon moment en détention. De sorte qu'il avait failli tomber à la renverse en entendant l'autre défenseur promettre à son client la remise en liberté si sa famille venait tout de suite dans son cabinet lui apporter 30 000 francs. Évidemment, les sous-entendus de l'avocat signifiaient qu'une partie de la somme m'était destinée. Cela m'a rappelé l'histoire connue dans le Tout-Paris judiciaire de cet avocat de renom qui utilisait systématiquement le même stratagème, mais avec plus de finesse. Il rendait de fréquentes visites aux juges qui traitaient les dossiers de ses clients, pour s'enquérir de leurs intentions quant aux remises en liberté. Lorsque le magistrat lui confiait que l'avancée de l'enquête pouvait permettre d'envisager cette mesure, l'avocat convoquait tout de suite la famille de son client. Il expliquait alors que le juge refusait toute libération, à moins d'un versement immédiat de 50 000 francs : 20 000 francs pour lui et 30 000 pour le juge. Et cela a marché. Sans doute très longtemps. Je l'ai personnellement entendu de la part de plusieurs familles dans des affaires différentes, mais concernant toujours le même avocat. Sa chance a cependant tourné. Une patrouille de police l'a retrouvé un matin, tout nu et attaché à un arbre dans le bois de Boulogne. Sans doute qu'un juge, à la suite d'un rebondissement de l'enquête, avait renoncé à la remise en liberté annoncée, alors que l'avocat avait déjà encaissé son petit racket personnel. Et que des proches du détenu n'ont pas apprécié. L'histoire m'avait bien amusé.

Mais pas celle-ci. Un jour, un avocat m'appelle pour me demander conseil. Son client est le PDG d'une petite société qui vient d'être placée en redressement judiciaire par le tribunal de commerce. Il a été convoqué par le mandataire de justice désigné par le tribunal et par l'avocat dudit mandataire. Selon le défenseur du PDG, il s'agit de « l'un des avocats les plus connus du barreau de Paris, dont le nom commence par l'une des premières lettres de l'alphabet ».

Lors de ce rendez-vous, les deux personnages lui ont expliqué avoir découvert des petites choses ennuyeuses dans la comptabilité, comme des dépenses personnelles prises en charge par la société, et qu'ils se sentaient obligés de demander une extension de la faillite à la situation personnelle du dirigeant. Le PDG serait dans ce cas contraint de supporter sur ses propres biens certains passifs de l'entreprise. À moins que, peut-être… Le PDG croit comprendre qu'on lui demande de l'argent. Pour en avoir le cœur net, il interpelle l'avocat. « Pour ne pas m'embêter sur ma situation personnelle, vous voulez combien ? 50 000 francs ? » La réponse fuse. « Non, pas 50 000, 100 000. »

L'avocat du PDG est outré et déçu. Déçu d'apprendre que l'un de ses confrères de grande notoriété marche dans de telles combines, il est d'autant plus déterminé à le faire tomber, mais il ne sait pas comment. Il me demande donc de lui expliquer la meilleure façon de procéder pour pouvoir prendre les deux maîtres chanteurs en flagrant délit. Ce que je fais, dans le détail. L'avocat me remercie, me dit qu'il va suivre mes conseils et me salue. Trois semaines plus tard, il me rappelle, écœuré. Une fois le dispositif mis en place pour piéger les deux escrocs, son client a eu peur et il a préféré payer. Le ténor du barreau a touché sa part sans écorner sa notoriété.

J'ai également en mémoire cet avocat qui consulte régulièrement les dossiers de ses clients dans les cabinets d'instruction. Il a bien souvent en main l'original de la procédure. Car, faute de temps, les juges ne peuvent matériellement pas faire réaliser de doubles complets et conformes. Après chacune des visites de l'avocat, les juges d'instruction ont constaté la disparition de pièces du dossier. Des pièces uniques, puisées dans le dossier original du juge, et donc irremplaçables. Et toutes les pièces envolées étaient des éléments très gênants pour le client. Preuve s'il en est que certains avocats poussent très loin la notion de dévouement à leur cause.

Certains n'hésitent pas non plus à se muer en quasi-complices. Dans une grosse affaire de trafic de stupéfiants, des écoutes téléphoniques ont permis de surprendre l'appel d'un suspect à son avocat, juste après une perquisition chez un membre du réseau. Appel dans lequel l'homme demandait à l'avocat de l'aider à vider la cache contenant le stock de stupéfiants pour aller le dissimuler ailleurs.

Ce sont évidemment des cas extrêmes, et je n'ai pas ici l'intention de prétendre qu'ils sont la majorité. Beaucoup d'avocats font leur travail avec une grande honnêteté. J'avoue d'ailleurs ressentir davantage de plaisir à discuter avec certains d'entre eux, une fois le procès-verbal clôturé, qu'avec une grande partie de mes collègues. De tout et de rien, de la vie en général et de la Justice en particulier ; de la misère et de ces existences qui basculent pour un rien. Ils sont souvent plus drôles, plus fantaisistes, plus profonds que les juges. Plus généreux. Quand ont afflué sur moi certaines difficultés, ils ont été les premiers à me soutenir. À venir me voir, entre deux rendez-vous, pour me faire part de leur solidarité ou de leur émotion, à m'envoyer des mots, à prendre des motions. Je les aime bien, les avocats. Mais tous ne font pas, en fait, le même métier. Cohabitent en effet sous la même robe noire plusieurs sortes d'avocats, selon une véritable hiérarchie.

Les avocats civilistes ne se salissent jamais les mains. À eux les grandes conclusions juridiques et les raisonnements ciselés ; les clients « institutionnels », par exemple les compagnies d'assurances, qui leur garantissent des revenus réguliers ; les plaidoiries feutrées devant des magistrats endormis, auxquels ils doivent des horaires de fonctionnaires ; et quelques chroniques de temps à autre dans des revues juridiques. Certains de ces avocats n'ont jamais mis les pieds dans une maison d'arrêt ou un commissariat de police.

Au-dessus d'eux, il y a les cabinets financiers, l'élite autoproclamée des avocats du pays, dont les membres gagnent fort bien leur vie en conseillant d'importantes sociétés sur les meilleures façons d'utiliser la loi. Ou de la contourner. Dans cette trentaine de gros cabinets parisiens, organisés à l'américaine, les collaborateurs ne se connaissent même pas les uns les autres. Ils recrutent, comme de véritables chasseurs de têtes, les spécialistes dont ils ont besoin en allant débaucher ici un inspecteur des impôts, là un commissaire de police, voire un magistrat ou un inspecteur du travail. L'essentiel de leur activité se déroule en réunions dans leurs locaux ou dans ceux de leurs clients, en France ou à l'autre bout du monde, à chercher avant tout à éviter cet écueil redoutable : que le litige aboutisse un jour entre les mains d'un juge.

Enfin, au-dessous ou à part, ailleurs presque, les avocats pénalistes. Là encore, il faut distinguer. D'un côté, ceux qui défendent les faibles, qui vont dans les commissions de recours pour les étrangers en situation irrégulière, ou assurent les permanences aux audiences de comparution immédiate. Ceux-là accomplissent leur tâche, leur mission, avec courage et conviction. Qu'ils en soient ici remerciés, ces femmes et ces hommes qui travaillent douze ou quatorze heures par jour, reçoivent à longueur de temps leurs clients, ne réclament parfois pas d'honoraires aux plus démunis. J'en connais même qui donnent parfois au client la somme nécessaire simplement pour rentrer chez lui ou pour s'acheter un sandwich. Ces avocats passent leurs week-ends à visiter leurs clients incarcérés, quittent à la nuit tombée les audiences correctionnelles parce que les ténors ont eu la priorité pour passer avant eux. Ce sont de petits artisans, attendant des heures durant pour tout de suite après se mettre à courir les tribunaux de la région parisienne, de Créteil à Nanterre en passant par Bobigny et Paris, en scooter ou par les transports en commun. Les accrocs sur leurs robes poussiéreuses témoignent de leur mode de vie. Souvent, ils n'ont même pas de secrétaire.

Ils ne récoltent que rarement les fruits de leur dévouement : les décisions de justice leur sont plus qu'à leur tour défavorables. Peut-être faute de savoir comment peser sur le plateau de la balance. C'est un peu l'équivalent de ce qu'avait voulu faire comprendre Bernard Tapie, patron de l'Olympique de Marseille, lorsque son équipe avait été battue en demi-finale de la coupe d'Europe sur un but très litigieux, en déclarant : « Maintenant, je saurai comment il faut faire pour gagner. » De la même façon, je pense qu'il y a des avocats qui savent comment il faut s'y prendre, des dîners en ville aux soirées du Rotary, des longues séances de flatterie aux boîtes de chocolats en fin d'année, tout un travail de lobbying ignoré du grand public qui bien souvent permet d'obtenir plus de relaxes ou de légères condamnations qu'une défense classique arc-boutée sur le dossier. Et d'autres non. Ceux-là ont énormément de mal à vivre de leur métier. Il faut souligner que, s'il n'y a qu'environ 6 000 magistrats dans toute la France, on décompte plus de 15 000 avocats rien qu'à Paris. Certains d'entre eux ne gagnent pas l'équivalent du Smic, et sont parfois obligés de faire des petits boulots à côté pour s'en sortir.

En face d'eux, les « grands pénalistes » ont autrefois gagné beaucoup d'argent en défendant des trafiquants de drogue et en acceptant des sommes pas forcément officielles. Quand ils n'étaient pas payés en nature. Si la cliente est jolie, l'arrangement est tout trouvé. Mais j'ai eu aussi le cas, sur une cassette d'écoute téléphonique, d'un trafiquant payant sa défense en doses d'héroïne ou de cocaïne. Ce réseau s'octroie toutes les grandes affaires, se les partageant et, au besoin, se les répartissant : il m'est souvent arrivé de faire les présentations entre un avocat et son client censé pourtant l'avoir choisi.

La plupart de ces pénalistes, en se reconvertissant il y a quelques années dans la défense des hommes politiques et des grands patrons, se sont refait une virginité. Oublié, l'avocat qui courait les audiences correctionnelles pour défendre les trafiquants. Fini, le temps de la Jaguar ou de la BMW, des cheveux trop longs et des chemises mal repassées. Place au ténor du barreau qui roule en Safrane et s'habille en Hugo Boss. C'est mieux pour entrer dans les ministères et attirer les caméras. Quitte à ce que leurs collaborateurs assurent l'essentiel du travail en traitant les dossiers de droit commun qui font rentrer l'argent. Le grand avocat René Floriot avait coutume de dire qu'il avait fait sa réputation avec les affaires pénales mais son argent avec les divorces.

Alors, qu'est-ce qu'un bon avocat ? J'ai d'abord cru que c'était celui qui travaillait le fond des dossiers. Qui venait régulièrement les consulter, rencontrer les juges, leur proposer des pistes ou des éléments d'enquête à décharge pour leur client. C'est assez rare, de nos jours. Les juges d'instruction connaissent tous ces soi-disant grands avocats qui arrivent dans le cabinet deux minutes avant la confrontation ou l'interrogatoire, demandent au juge : « Alors, quoi de neuf dans le dossier ? », se contentent de la réponse du juge avant de voir leur client quelques secondes, le temps de lui glisser d'un air entendu : « Tout va bien. » Les mêmes, pendant l'audition, se bornent à griffonner quelques notes, sans jamais poser la moindre question sur le fond de l'affaire. Ils en sont bien incapables, les pauvres, ignorants qu'ils sont de la direction que prend le dossier.

J'ai même vu à plusieurs reprises des avocats venir demander un permis de visite pour leurs clients détenus, alors que ceux-ci étaient incarcérés depuis déjà six ou sept mois : proprement effarant. Au point que, dans certains dossiers, le juge d'instruction est obligé de se transformer en avocat du mis en examen, en lui suggérant parfois de faire telle ou telle demande d'acte ou même de solliciter une remise en liberté. C'est aussi le juge qui doit parfois appeler l'avocat pour lui suggérer d'aller voir un client dont il semble avoir totalement oublié l'existence.

Il n'est pas rare non plus que certains mis en examen m'appellent, m'écrivent ou viennent me voir pour me parler des honoraires de leurs avocats. Ils me montrent parfois les factures, et posent toujours les mêmes questions étonnées sur les montants réclamés. 10 000 francs pour aller de Paris à Créteil ou pour des frais d'étude d'un dossier jamais consulté, le client peut légitimement s'inquiéter.

On ne le sait pas toujours, mais ce juge d'instruction si décrié, ce n'est pas uniquement celui qui emprisonne, qui renvoie devant le tribunal, qui gâche des vies. C'est aussi parfois celui qui intervient pour aider le mis en examen face à une non-défense ou à un égorgement financier de la part de son avocat.

Mais de nos jours, le bon avocat c'est celui qui sait gérer l'aspect médiatique d'une affaire. On prend tel avocat plutôt que tel autre, pas parce qu'il plaide avec éloquence ou qu'il sait mieux lire les dossiers, mais pour ses relations dans les médias, la franc-maçonnerie, le monde politique ou les affaires. Le bon avocat devient un « actionneur » de leviers dans certains secteurs de l'activité professionnelle ou politique. Il est capable de sentir, dès les prémices, si une affaire est promise à de bons débouchés médiatiques. Il s'agit alors de se précipiter pour tenter d'être désigné. Pour emporter le « marché » tous les coups sont permis, les appels téléphoniques insistants, les visites à domicile, les promesses de toutes sortes, allant de l'offre de défense gratuite à la remise immédiate de sommes en liquide. L'avocat sait que s'il parvient à convaincre, il récupérera aisément sa mise : chaque passage à la télévision ou sur les ondes des radios fera sa publicité. Avec à la clé de nouveaux clients, souvent des petits, dont les dossiers présentent peu d'intérêt pour ces ténors, mais qui seront facturés au prix fort. Ce type de comportement soulève une interrogation. L'avocat est guidé dans ces affaires uniquement par le souci de sa propre renommée, et non par celui de la bonne défense de son client. Il arrive que les deux aillent de pair. Mais il se peut aussi qu'il y ait un conflit d'intérêt entre ce que devrait être la bonne défense et une bonne campagne de communication. Inutile de préciser quel choix sera fait par un avocat qui a offert gracieusement sa collaboration, quand il ne l'a pas « achetée ».

Ce que je décris ici renforce ma conviction de la nécessité d'un juge d'instruction dans la procédure. Il est le seul à n'avoir – en principe et dans la quasi-totalité des cas – aucun intérêt à ce qu'une affaire aille dans un sens plutôt que dans un autre. À ce que telle personne soit innocentée et telle autre mise en cause. La disparition du magistrat instructeur ne ferait que donner libre cours au « tout communication » des avocats, au détriment de la recherche de la vérité.

Le « bon avocat », c'est enfin celui qui, dans certains dossiers – on aura compris que je n'évoque plus là les affaires de stupéfiants –, a une mission toute particulière à remplir. Faire tout, je dis bien tout, pour que la vérité ne vienne jamais polluer le dossier, pour que, au pire, seuls les lampistes soient inquiétés par ces juges trop curieux, au mieux que l'affaire ne soit jamais jugée, ou en tout cas le plus tard possible. Pour transmettre au mis en examen les consignes venues du sommet, lui faire adopter une version officielle, promettre au détenu certaines compensations sonnantes s'il accepte de garder le silence. Je me suis laissé dire que dans l'affaire dite « de la Cogédim », certains chefs d'entreprise avaient reçu des sommes importantes sur des comptes en Suisse parce qu'ils s'étaient « bien » comportés face au juge. C'est une société amie qui s'était engagée à payer ; et c'est l'avocat qui s'était fait le messager de la promesse.

Autre récompense envisageable pour le mis en examen docile : on va se battre pour tenter d'obtenir l'annulation du dossier d'instruction. Ce n'est plus un cabinet qui assure alors la défense, mais une équipe de spécialistes venus de plusieurs cabinets différents et réunis pour la « bonne » cause, qui va passer des journées et des nuits à éplucher la forme de la procédure, les signatures ou le tampon qui manquent, l'avis oublié par les policiers, le délai qui n'aura pas été respecté. À profiter et à mettre en exergue la moindre défaillance du juge.

Certains avocats sont des chasseurs de prime ou, mieux, des tueurs à gages : on les paye pour flinguer une procédure. Quand ce n'est pas tirer sur le shérif.

Dans le cas contraire, lorsque le client éprouve des remords ou des velléités d'émancipation, l'avocat est chargé de lui présenter le bâton. Il va rencontrer la famille pour l'inciter à faire mesurer au mis en examen les « dangers » de son manque de discipline. Faire bien comprendre qu'en haut lieu on n'acceptera plus d'assurer le coût de la défense. Menacer de ne plus être là si les déclarations ne changent pas. Voire de verser en procédure des pièces à charge contre le rebelle. Il n'est pas rare qu'en cours d'instruction un avocat, jugé incapable de « tenir » suffisamment le client, soit remplacé par un autre, plus ferme ou plus persuasif.

Auparavant, on avait coutume de dire que l'avocat n'était pas vraiment un homme libre, soumis qu'il était à la nécessité, pour garder son client, de ne pas lui déplaire, de se montrer conciliant avec certains principes ou certains devoirs. On peut se demander à présent si ce n'est pas l'inverse qui est en train de se produire : le justiciable entravé par son avocat.

13.
Justices injustes

> La Justice absolue passe par la suppression de toute contradiction : elle détruit la liberté.
>
> Albert Camus, *L'Homme révolté*.

Je vais sans doute étonner plus d'un lecteur. Je suis un farouche partisan du système judiciaire à la française. Depuis une trentaine d'années, tous les ministres de la Justice qui se sont succédé place Vendôme ont rêvé d'associer leur nom à une grande réforme de la Justice. Sans que l'on connaisse vraiment le pourquoi d'une telle réforme. Tantôt, les juges sont trop laxistes, remettent les gens dehors trop facilement, l'insécurité règne. C'est l'optique de la loi Peyrefitte « Sécurité et liberté » ou des lois Toubon. Tantôt au contraire le système est trop dur, la présomption d'innocence ignorée, les suspects condamnés avant d'être jugés, les prisons trop pleines. Alors, comme pour la loi Guigou, on pense avant tout à instaurer des délais, des entraves, des garde-fous. En oubliant tout souci d'efficacité. Ces reproches faits au système judiciaire d'une chose et de son contraire sont peut-être le signe d'un équilibre, imparfait, certes, mais réel. C'est ce que je vais essayer de démontrer.

Le juge d'instruction

Voilà aujourd'hui l'homme chargé de tous les maux. Celui qui accable le justiciable sans même lui laisser la moindre chance. Celui qui enquête « à charge », comme disent ses détracteurs. Raisonnement biaisé. Le juge n'instruit ni à charge ni à décharge. Il recherche la vérité. Toute recherche à charge ou à décharge qui se révèle infructueuse devient par la force des choses un indice inverse. Exemple. Un mis en examen donne un alibi précis pour le jour des faits susceptibles de lui être reprochés. La vérification de cet alibi par les policiers permet au juge de s'assurer que la personne était loin des faits au moment de ceux-ci. Si l'alibi est confirmé, l'élément est à décharge. S'il est infirmé, il devient un indice à charge. Dissocier décharge et charge me semble une vue de l'esprit. Les deux sont intimement liées.

Certains partisans du système anglo-saxon militent pour la suppression du juge d'instruction. Dans leur schéma, les procureurs enquêteraient pour apporter les preuves à charge, et les avocats, avec l'éventuel appui de détectives privés, enquêteraient quant à eux à décharge.

Ce système ne peut fonctionner que si l'avocat est un excellent praticien, et qu'il met en œuvre tous les moyens à sa disposition pour démontrer l'innocence de son client. Si l'on a la malchance d'être pauvre et noir aux États-Unis, et que l'on se trouve pris à tort dans les rouages de la machine judiciaire, on a peu de chances d'échapper à une condamnation. La chronique américaine est pleine de ces histoires de condamnés à mort dont on découvre, la veille de leur exécution – et dans ce cas, c'est une bonne nouvelle – ou, parfois, le lendemain de leur passage sur la chaise électrique, qu'ils étaient innocents. Mais que, pendant des années, la justice s'était refusée à entendre un témoin capital ou à demander une expertise génétique pouvant prouver la bonne foi du condamné.

Oui, en France, il y a parfois des erreurs judiciaires. Aucun système n'est assez parfait pour ne pas connaître quelques insupportables dérapages, pour ne pas briser à tort quelques vies. Mais je ne connais pas un seul juge d'instruction qui, face à un mis en examen contestant son implication, refuse l'audition d'une personne désignée comme étant l'auteur des faits ou un témoin de première importance, ou soit réticent à ordonner une expertise pouvant le disculper. Le juge d'instruction, au contraire du parquet, n'est pas de parti pris. J'avoue ne pas bien comprendre les critiques adressées au système français. Ce juge indépendant, en général intègre et consciencieux, qui va enquêter sans être gêné par des contraintes financières ou des histoires d'autorité, ce juge, qui finalement est un des piliers de la démocratie, plus personne n'en voudrait. Paradoxal, au moment où un pays comme la Grande-Bretagne étudie avec beaucoup d'attention le système français pour éventuellement le copier.

Ce n'est pas par sa puissance supposée, par ses pouvoirs prétendument étendus que le juge d'instruction est indispensable. En fait de pouvoir, il n'a que celui de soulever quelques lièvres, de poser des problèmes cruciaux, d'empêcher des organisations malfaisantes de fonctionner en paix.

À chaque fois qu'on m'a demandé de décrire mon métier, j'ai comparé le juge d'instruction à un grain de sable. Tout petit, invisible, il sait pourtant se glisser dans certains rouages pour en affecter le fonctionnement. Et c'est justement en cela qu'il est indispensable. On a tous besoin d'un grain de sable, d'un remueur, d'un emmerdeur, pour s'assurer de la fiabilité d'une démocratie. D'un révélateur. Voilà : le juge d'instruction est un test. On n'en entend parler que si la société fonctionne mal. Il est le dernier à rester debout quand tous les autres sont allés se coucher, dépités ou rassasiés. L'ultime recours.

Les justiciables ne se privent pas d'en appeler à ce recours. C'est à lui que, même placés en détention, ils disent « merci » en quittant son cabinet parce qu'il les a, simplement, traités en humains. Que plus tard ils écrivent pour lui raconter leurs malheurs en prison, leurs problèmes avec leur famille ou leur avocat, ou téléphonent quand ils ont besoin d'un conseil ou d'un soutien. Parce qu'il vaut toujours mieux s'adresser à un homme qu'à une institution, fût-elle judiciaire ; le juge davantage psy que juge.

Face à cette demande, certains de mes collègues se comportent tantôt en moralisateurs, en compatissants, en donneurs de leçons, comme des potentats face à leurs sujets ou des bras armés du Bien pourchassant le Mal. C'est un tort. À mes yeux, la qualité principale d'un bon juge d'instruction n'est ni la ténacité, bien qu'elle soit nécessaire, ni le courage, quoiqu'il ne soit pas si répandu, ni la technicité, insuffisante en soi. C'est la froideur. Parler, regarder, agir de la même façon face à un assassin qui vient de massacrer sa famille qu'avec une jeune victime de viol ; avec un entrepreneur ayant utilisé l'argent de sa société pour se faire construire une piscine qu'avec la vieille dame que des escrocs sans scrupule ont dépouillée de ses économies de toute une vie, voilà ce qu'il convient. Les égarés échoués sur les bancs froids des palais de justice n'attendent pas davantage de grandes claques dans le dos que de coups de pieds dans le derrière. Mais seulement qu'un homme, assis derrière son bureau, décortique leur existence avec la précision du navigateur, la rigueur de l'entomologiste, l'endurance du marathonien et la neutralité de l'historien. Les vertus du solitaire.

Le parquet

Beaucoup de voix s'élèvent aujourd'hui pour réclamer un parquet « indépendant ». Pour la petite histoire, l'idée a même été lancée par le président de la République Jacques Chirac lors de son allocution télévisée du 31 décembre 1996. Vœux obligent, il cherchait alors une idée forte à lancer. Au dernier moment, faute d'inspiration, il aurait choisi de parler de la Justice sans trop savoir ce qu'il voulait en dire. Il se serait alors rabattu sur une vieille idée qui lui trottait dans la tête, cette « Justice indépendante » qu'il n'a jamais en réalité appelée de ses vœux. Voilà comment apparaissent, dans la bouche du premier personnage de l'État, les termes de « parquet indépendant ». L'improvisation ira même plus loin, puisque selon de bonnes sources, au moment de désigner le nom du président de la commission chargée d'examiner la question, Jacques Chirac pensait à Jean-François Burgelin, magistrat plutôt marqué à droite. Mais à la suite d'une confusion, il nommera le président de la Cour de cassation, Pierre Truche.

En fait, le président de la République n'a jamais eu plus que ça le désir de rendre la Justice plus indépendante qu'elle n'est. L'effet d'annonce passé, le rapport de la commission Truche remis en grande pompe, il a fait le nécessaire pour enterrer définitivement le projet. Il s'est tout simplement abstenu de convoquer le Sénat et l'Assemblée nationale en Congrès pour ratifier la modification de la Constitution qu'impliquait l'indépendance du parquet.

Tant mieux. Au risque de choquer, cette indépendance, je suis contre. Il est tout à fait normal en effet qu'il y ait une unité dans la politique judiciaire du pays, que les options du gouvernement soient appliquées uniformément sur l'ensemble du territoire. Illustration. S'il prend un jour à un ministre l'envie de ne plus poursuivre les sans-papiers ou les consommateurs de hachisch, il paraît évident qu'il doive en être de même à Brest, à Strasbourg ou à Marseille. Si en revanche on décide d'assainir le monde du travail en s'en prenant plus efficacement au travail clandestin ou aux atteintes à la sécurité sur les chantiers, comment tolérer qu'un seul homme, pour des raisons idéologiques, pratiques, ou simplement parce qu'il estime que s'imposent à lui des priorités plus urgentes, puisse se montrer réfractaire à ce qui a été mûri et conçu en haut lieu ? La politique judiciaire du pays se doit d'être cohérente, et indépendante des hommes qui sont en place à la tête des différents parquets.

J'ai connu un procureur, dans le Nord, qui tous les dimanches matin allait sur les marchés et, dès qu'il voyait des tableaux représentant des nus, les saisissait pour outrage à la pudeur. Je laisse imaginer le danger que représenteraient des membres du parquet atteints de phobies ou d'obsessions particulières, libres d'agir à leur guise dans leurs juridictions respectives.

C'est pourquoi j'estime nécessaire le maintien de l'autorité hiérarchique sur les procureurs. Comme je trouve naturel que les préfets soient chargés d'appliquer la politique du gouvernement sur l'ensemble du territoire, il me semble sain que les procureurs appliquent partout la politique judiciaire générale du gouvernement, à l'exclusion de toute instruction et de toute intervention dans les dossiers particuliers.

D'autre part, couper les liens hiérarchiques qui unissent le parquet et la Chancellerie reviendrait à court terme à supprimer le juge d'instruction, dont je viens de montrer combien il est indispensable. Le système pénal actuel fonctionne avec un parquet (dépendant de la Chancellerie), un avocat (dépendant des intérêts de son client) et, entre les deux, un juge indépendant. Donner l'indépendance au parquet, c'est en faire des enquêteurs indépendants, donc en faire les concurrents directs des juges d'instruction. Inévitablement, l'une se révélera rapidement superflue. Et comme on aura toujours besoin d'une équipe hiérarchisée et structurée, c'est forcément l'homme seul qui disparaîtra. À une pratique d'enquête (du nom d'inquisitorial qu'on donne au système français) se substituera une pratique d'accusation (on appelle accusatoire le système anglo-saxon). Je ne suis pas sûr que la Justice y gagnerait.

En revanche, il faut donner plus de garanties juridiques au juge d'instruction, de façon qu'il ne soit pas à la merci d'une absence de coopération de son parquet. Notamment sur le problème des saisines et des réquisitoires supplétifs, qui peuvent bloquer totalement des dossiers. En cas de refus, le juge doit avoir une voie de recours auprès d'une autorité supérieure, une chambre de la cour d'appel ou une commission totalement indépendante. Cette instance examinerait très vite, en moins de huit jours, si la demande de réquisitoire supplétif du juge d'instruction est fondée, ou si au contraire le refus du procureur l'est. Cette garantie supplémentaire pourrait assurer des poursuites cohérentes dans tout le pays et permettrait aux enquêtes, y compris les plus gênantes pour le pouvoir, d'aller jusqu'au bout.

La détention provisoire

Beaucoup ont critiqué le fait que le juge d'instruction puisse enquêter et décider seul de mettre ou non une personne en prison, être à la fois « Maigret et Salomon ». Cette défiance est peut-être née de certains abus. Quelques-uns de mes collègues ont pu se servir de cette « arme » comme d'un moyen de pression sur certaines personnes pour les pousser à avouer. J'avoue que, dans ma jeunesse, la lecture des livres sur le juge Michel, abattu à Marseille en 1981, et le juge Renaud, assassiné à Lyon en 1975, m'avait laissé une impression mitigée. J'avais été très défavorablement impressionné par certaines de leurs méthodes, comme celle consistant à écrouer les femmes des truands pas assez bavards, pour les inciter à parler. C'est quelque chose que je n'ai jamais fait. Chaque fois que j'ai mis une femme en prison, c'est qu'elle était impliquée directement dans les faits sur lesquels j'enquêtais.

Cela étant, faut-il, au nom de quelques abus, donner le pouvoir de détention à quelqu'un qui ne connaît rien à l'affaire, et parfois même ne connaît rien à la justice pénale ? La loi « Présomption d'innocence » votée en juin 2000 avait ainsi prévu de confier à un « juge des libertés et de la détention » le soin de se prononcer sur les placements en détention. Et que des juges civilistes, habitués à traiter des litiges entre particuliers, s'acquitteraient de cette nouvelle charge. Eh bien, c'est un peu comme si, en pleine opération à cœur ouvert, le chirurgien cédait son bistouri à un radiologue chargé de faire le pontage. Cela paraît totalement aberrant en matière médicale. C'est la même chose en ce qui concerne les juges. Il y a des spécialistes de pénal, de divorces, de baux ruraux, d'expropriation, d'affaires prud'homales ou de responsabilité civile. Est-ce vraiment de la bonne justice que de faire venir le spécialiste des baux ruraux pour décider du placement en détention d'un mis en examen ?

J'ai eu il y a quelques mois à traiter un dossier concernant une grosse affaire de stupéfiants. Une quinzaine de kilos de cocaïne avait été saisie, plusieurs ressortissants étrangers interpellés, dont des Brésiliens, un Belge et un Hollandais. Ces deux derniers ont été remis dehors par le juge des libertés. Et bien sûr, personne ne les a jamais revus. Absents le jour du procès, ils ont été condamnés par défaut. La même situation s'est reproduite récemment à Versailles. Mais les juges sont moins à blâmer que les concepteurs de ce système absurde.

Robert Badinter avait évoqué à ce sujet une collégialité possible, qui avec le recul me semble être une solution, si ce n'est meilleure, en tout cas cohérente. On peut comprendre qu'à trois, même si ce n'est pas toujours le cas en particulier lorsqu'il faut faire preuve de courage, on rende une justice meilleure que tout seul. À cet argument, on a opposé l'impossibilité matérielle, le système des trois juges coûtant trop cher à l'État.

L'Association française des magistrats instructeurs avait alors proposé une alternative dont je ne comprends pas qu'elle n'ait pas été retenue : une collégialité « à la carte ». Dans ce système, le juge d'instruction prendrait normalement seul la décision du placement en détention si le mis en examen ne s'y opposait pas, ce qui à mon avis serait le cas dans 90 % des affaires. Contrairement aux idées reçues, en effet, la majorité des gens reconnaissent les faits qui leur sont reprochés et admettent qu'ils doivent en conséquence aller en prison. En revanche, en cas de refus ou de contestation, le mis en examen aurait la possibilité de faire appel à trois juges pour décider de la détention. Cette collégialité à la carte avait le double avantage d'offrir une collégialité possible aux mis en examen, et de ne rien coûter, compte tenu du petit nombre de cas qu'elle aurait eu à trancher. C'est sans doute pour ça que personne n'en a voulu.

Justice de luxe, justice ordinaire

Les prises de position des uns et des autres, depuis une dizaine d'années, dégagent comme une impression de malaise. Comme si les gouvernants avaient découvert le fonctionnement du système pénal avec la mise en cause de certains patrons et hommes politiques. Au point de vouloir soudainement le bouleverser.

Plutôt que de se pencher sur le déroulement des instructions judiciaires, les ministres de la Justice auraient mieux fait de s'intéresser à d'autres aspects du système français. Car en France, l'instruction c'est la justice de luxe. Elle offre nombre de garanties et de barrages procéduraux aux avocats du mis en examen, elle laisse aux parties assez de temps pour faire valoir leurs droits, et permet au juge de réfléchir avant de trancher.

Ce n'est pas le cas de la justice ordinaire, celle du quotidien. Celle du petit délinquant arrêté en flagrant délit et qui passe en comparution immédiate. Celle qui fait comparaître un prévenu en correctionnelle sans avoir vu son dossier, sans avocat ou assisté d'un avocat commis d'office qu'il n'aura vu en tout et pour tout que quelques minutes avant l'audience.

L'avocat commis d'office peut bien faire ce qu'il peut. Lorsqu'il arrive à l'audience pour les comparutions immédiates, il n'est pas rare qu'il se retrouve avec dix dossiers sur les bras. Il va devoir les lire, très vite, s'entretenir avec chacune des personnes concernées. Et s'il a la chance de ne pas s'emmêler et de ne pas confondre les dossiers, il pourra faire une plaidoirie de quelques minutes devant le tribunal. C'est cela, la justice au quotidien : 90 % des affaires.

Il y a dans cette justice de l'ombre, rarement exposée aux feux des médias, des délais de détention dont personne ne s'inquiète. Il faut savoir que, lorsque l'on évoque le taux de détention provisoire, on compte non seulement les détenus dont le dossier est à l'instruction, mais aussi beaucoup des cas jugés en comparution immédiate : ceux dont l'examen a été renvoyé à plus tard et qui restent en prison, ceux qui sont condamnés mais qui ont fait appel et en attente de décision définitive. Personne ne s'intéresse à ces détentions parfois longues, pour des affaires le plus souvent pas très graves, et qui concernent des gens défendus de manière assez aléatoire.

Plutôt que de se focaliser sur la réforme de l'instruction, cette voie judiciaire qui ne concerne que 10 % des dossiers mais qui leur est réservée, les politiques feraient mieux de s'atteler à la nécessaire modernisation de la justice de masse. Mais donner des garanties au délinquant de base, qu'il soit voleur de portables ou incendiaire de gymnases, a peu de chances de susciter des passions et de mobiliser des électeurs. Surtout quand l'insécurité est un des thèmes centraux de la campagne électorale.

14.
La coopération impossible

> L'ancien chapitre de Genève, où jadis tant de princes et d'évêques se faisaient un honneur d'entrer, a perdu dans son exil son ancienne splendeur, mais il a conservé sa liberté.
>
> Jean-Jacques Rousseau,
> *Les Confessions.*

Imaginons une course de relais entre deux équipes. La première sur la ligne de départ, parfaitement rodée et entraînée, doit accomplir un parcours en ligne droite parfaitement plat. La seconde, composée de coureurs qui ne se connaissent pas, dont certains des membres n'ont même jamais couru, part 20 mètres derrière, plusieurs minutes après le signal du starter, et doit suivre une piste sinueuse, bosselée, parsemée d'un nombre incroyable de haies. Devinez qui va gagner...

Cette course est un peu à l'image de ce qui se passe dans le domaine judiciaire entre les lièvres-délinquants financiers qui recyclent d'énormes sommes d'argent issues d'opérations délictueuses et les tortues-juges qui enquêtent sur ces opérations de blanchiment. Sauf que, contrairement à la morale de la fable, la tortue n'arrive jamais au bout de la course.

L'affairiste qui veut lessiver de l'argent peut jouer de toutes les facilités que lui offre le système bancaire. Première opération, il ouvre un compte à l'étranger. Mais pour ne pas éveiller trop vite les soupçons, il choisit d'abord un pays d'allure respectable, Grande-Bretagne ou Pays-Bas. Les sommes déposées sur ce compte ne vont en fait y rester que quelques minutes. Le temps de faire un virement vers un pays plus lointain, Israël ou Russie. Simple transit. Quelques minutes plus tard, un nouveau virement expédie le pécule vers un pays très pointilleux sur le secret bancaire, Suisse ou Liechtenstein. Une série de virements, dans ce même pays, mais vers d'autres comptes dans d'autres établissements bancaires, ne prend guère plus de temps et permet de brouiller les pistes.

Reste à noyer totalement le poisson et à effacer définitivement toute trace de cet argent. Le délinquant financier va alors à la banque de destination finale, retire l'argent en liquide, traverse la rue et dépose son pactole dans la banque d'en face. Total, moins d'un quart d'heure pour effectuer tous les virements de compte à compte, et une demi-journée pour aller sur place, opérer le retrait et faire le dépôt.

À supposer qu'une enquête soit ouverte sur ces faits des années plus tard, le juge saisi du dossier se retrouve dans la situation inverse. Il lui faut d'abord découvrir l'existence du compte initial en Grande-Bretagne ou aux Pays-Bas, ce qui peut lui demander, s'il a de la chance, six mois d'investigations poussées. Il délivre alors une commission rogatoire internationale. Dans le meilleur des cas, les résultats fructueux de sa demande lui reviennent au bout d'un an. Ce qui permet au juge de constater que l'argent est parti pour la Russie ou pour Israël. Nouvelle commission rogatoire internationale, nouvelle attente, nouvelle année qui s'écoule, pour recevoir en général la moitié des informations demandées. Et pour cette fois se heurter au mur du secret bancaire de la Suisse ou du Liechtenstein. Le juge doit alors négocier pendant de longs mois pour espérer obtenir quelques résultats du côté suisse. En revanche, inutile de compter sur le moindre espoir avec le Liechtenstein, qui oppose une fin de non-recevoir à toutes les demandes d'entraide judiciaire venant de l'étranger. Total, près de trois années se sont passées, et le juge ne parvient pas à faire la lumière sur ce que d'autres ont mis moins d'une journée à faire.

Dans mon dossier des HLM de Paris, j'ai au départ été servi par la chance. Après un an d'enquête, je découvre l'existence d'un compte ouvert au nom de Jean-Claude Méry dans une banque des Pays-Bas. Sur commission rogatoire internationale, j'envoie les policiers sur place. Ils interrogent le directeur de la banque et apprennent l'existence d'un autre compte. Une nouvelle commission rogatoire internationale est normalement nécessaire aux policiers pour pouvoir se pencher sur leur découverte. Le document, s'il passe par le circuit ordinaire, hiérarchie judiciaire puis voie diplomatique, met plusieurs semaines, voire plusieurs mois, avant de parvenir sur place. Cette fois, je réussis à envoyer par télécopie les papiers nécessaires aux autorités néerlandaises, lesquelles acceptent de les examiner et d'en exécuter le contenu immédiatement. Les policiers ont pu rentrer en France avec des résultats concrets obtenus dans des délais inespérés.

La suite a été plus difficile. J'envoie une commission rogatoire en Grande-Bretagne pour obtenir les relevés d'un compte dont je possède le numéro et le nom du titulaire. Après des mois d'attente, et alors que j'envisageais d'envoyer mes policiers sur place, je fais appeler, via Interpol, les policiers londoniens. Ils expliquent que leurs recherches sont toujours en cours : la visite de leurs homologues français ne peut avoir lieu tout de suite et doit être différée. Les mois passent, rien ne vient. En désespoir de cause, je décide d'imposer mon déplacement. Le temps d'avoir l'accord de la Chancellerie pour que je me déplace avec le substitut du parquet de Créteil, celui du ministère de l'Intérieur pour que les policiers français m'accompagnent et celui des autorités judiciaires anglaises pour le rendez-vous, il faut environ un an.

Londres, enfin. Toutes les banques se trouvent dans le quartier de la City, et sont donc du ressort territorial du commissariat de la City. On pourrait penser que les meilleurs policiers britanniques en matière financière y sont nommés. Pas du tout. Ce sont en général d'anciens brigadiers de police ni très courageux ni très compétents en matière judiciaire qui y sont affectés. Je m'en rends compte très vite, lors de la première entrevue avec l'enquêteur local chargé des investigations. L'homme affiche d'entrée une grande satisfaction. Selon lui, toutes mes demandes ont été comblées, tous les résultats espérés sont là. Avant de céder moi aussi à l'enthousiasme, je pose quelques questions. « Tous les comptes, tous les destinataires des virements, toutes les provenances des fonds, vous avez tout ? » Le policier baisse d'un cran. « Heu, non. Tout cela n'était pas précisé dans la commission rogatoire. » Je reprends alors le document dont j'ai apporté un exemplaire avec moi, et dans lequel toutes mes demandes figurent bien noir sur blanc. Léger embarras de mon interlocuteur, qui se souvient brusquement d'un détail important. « Ah oui, j'ai demandé tout ça. Mais les archives de la banque ont brûlé. »

Cette fois, le ton monte. Au point que mon collègue Marc Brisset-Foucault, qui assure la traduction des échanges, me demande de me calmer. « Nous ne sommes pas chez nous », me glisse-t-il. J'obtiens finalement d'appeler la banque au téléphone, laquelle assure qu'aucun incendie n'a jamais ravagé ses archives et que les documents recherchés n'ont pas été fournis parce qu'ils n'ont jamais été demandés. Rendez-vous est pris pour le lendemain avec le banquier, qui me remet l'ensemble des éléments, montrant de nombreux virements vers la Suisse. Ne reste plus qu'à obtenir l'autorisation d'un tribunal britannique pour que les documents soient envoyés en France. Lorsque nous repartons, j'ai la certitude que les pièces que je recherche figureront dans ma procédure. Il ne reste plus qu'à attendre… les quelques mois que prendra la transmission officielle.

Si je n'étais pas allé sur place pour taper du poing sur la table, la commission rogatoire me serait revenue avec uniquement les relevés de compte, sans aucune recherche sur les destinations des sommes retirées. Ce qui montre que le contact humain est indispensable et que rien n'est fait au niveau des différents États pour favoriser la coopération. Car ce résultat somme toute acceptable aura quand même nécessité plus d'une année de contact… et pas mal de dépense d'énergie.

Plus tard, j'envoie donc une commission rogatoire en Suisse. Fort de mon expérience londonienne, je sollicite et obtiens l'autorisation de me rendre sur place au bout de plusieurs mois avec les policiers et le substitut pour assister à certains interrogatoires et éventuellement aux perquisitions du juge helvète. Celui-ci nous reçoit très cordialement, nous invite à déjeuner et nous convie dans son bureau pour une audition l'après-midi même. Mais en nous voyant, la personne convoquée se refuse à déposer en présence des autorités françaises. Je regarde le juge, qui secoue la tête. « Je ne peux rien faire. Il faut que vous sortiez. » Nous voilà dehors.

Est prévue ensuite une perquisition dans une société fiduciaire. Je dis bien : prévue. Car j'apprendrai un peu plus tard que le juge a prévenu cette société de notre venue. C'est une sorte de première pour moi que cette perquisition sur rendez-vous. La différence avec la pratique française ne s'arrête d'ailleurs pas là. Pas question en effet pour les enquêteurs suisses, et *a fortiori* pour nous, de fouiller dans tous les bureaux. Non. Après une heure d'attente dans un bureau, des employés nous apportent un carton en nous disant : « Voilà les documents. » Inutile de dire, dans ces conditions, qu'un tri « sélectif » a dû être opéré, et le contenu du carton soigneusement choisi. À peine me suis-je levé pour jeter un œil aux dossiers que les protestations fusent. « Vous n'avez pas le droit de regarder les documents avant qu'ils ne soient arrivés en France. » Confirmation de mon collègue suisse. Je dois donc me contenter de regarder les employés de la fiduciaire ficeler le paquet. Ces documents que j'ai à portée de main, je ne pourrai pas les exploiter avant de les avoir réceptionnés officiellement dans mon bureau. C'est-à-dire six mois plus tard. En effet, il existe en Suisse une procédure particulière de recours. Toute personne entendue dans le cadre d'une procédure internationale peut faire une requête auprès d'une juridiction d'appel. Elle peut demander que les documents ne soient pas transmis à l'autorité requérante. Il n'est pas anormal de pouvoir intenter des recours en matière de procédure judiciaire. Ce qui l'est, en revanche, c'est de mettre plus de six mois pour les examiner. Il est évident que si ces recours étaient tranchés en quelques jours, ils disparaîtraient. Ils n'ont en effet pour rôle que de retarder les procédures.

D'autre part, le requérant peut également demander que certaines opérations soient effacées de la transmission. J'ai ainsi obtenu des autorités suisses, dans le cadre d'une autre commission rogatoire, des relevés de comptes dont certaines lignes avaient été soigneusement passées au blanc. Éliminées. Je ne saurai jamais quelles manipulations bancaires ont été ainsi dissimulées.

La délinquance financière n'est pas la seule à profiter de ces imbroglios judiciaires. En matière de lutte contre le trafic de drogue, la situation n'est guère plus brillante. J'ai ainsi eu à traiter un dossier concernant un important réseau d'importation de cocaïne. Après les premières investigations sur le sol français, j'envoie une commission rogatoire aux États-Unis pour demander à la Police fédérale de procéder à une perquisition dans l'appartement des individus dénoncés comme étant les têtes du réseau. Je demande notamment aux enquêteurs de rechercher tous les éléments éventuellement liés au trafic, téléphones portables, relevés de comptes, carnets d'adresses, factures téléphoniques, etc. Par retour, les autorités américaines me demandent quelles preuves j'avais de la présence dans cet endroit de relevés bancaires, de carnets d'adresses et quels téléphones portables s'y trouvaient. La loi aux États-Unis prévoit en effet que, pour faire une perquisition, il faut décrire précisément à l'avance ce que l'on va trouver dans l'endroit visité. Faute de pouvoir donner la liste exacte des objets en question, la perquisition n'a pas eu lieu.

Autre particularité américaine, la négociation. Les personnes que l'on souhaite auditionner exigent par exemple, en échange de leur témoignage devant un juge étranger, la promesse qu'ils ne seront jamais poursuivis. Chose qu'un magistrat français ne peut bien évidemment accepter. Du coup, les interrogatoires sont impossibles.

Ces quelques exemples m'amènent à évoquer la coopération judiciaire en tant que telle. Dans ce domaine, les politiques n'ont pas été avares de promesses. Impossible de compter le nombre de professions de foi, d'appels solennels et de réunions au sommet qui prônent la coopération judiciaire en Europe contre le blanchiment d'argent et la corruption. En revanche, il est beaucoup plus facile de recenser les effets de toutes ces belles paroles : il ne s'est rien passé.

En 1996, le journaliste Denis Robert me contacte pour me proposer de faire partie des signataires initiaux d'un texte, qui sera ensuite baptisé « l'Appel de Genève », en faveur de la coopération entre les pays européens et pour que l'Europe judiciaire marche dans les traces de l'Europe financière. Sept magistrats européens ont déjà accepté de parapher le texte, et je suis prêt à être le huitième. Mais Denis Robert me précise alors qu'il faut aussi participer à son livre d'interviews, *La Justice ou le chaos*. À l'époque, je me refuse à donner mon sentiment sur la corruption et la coopération internationale, étant en charge de l'important dossier des HLM. Voilà pourquoi je ne figure pas parmi les premiers signataires. Cela étant, j'ai totalement soutenu cet Appel que j'ai signé ensuite avec bon nombre de mes collègues.

Que s'est-il passé depuis lors ? Est-ce que les choses ont changé ? Absolument pas. Certes, il y a eu quelques petits aménagements. On peut, dans certains cas, envoyer directement la commission rogatoire à son homologue étranger sans passer par les voies diplomatiques. À condition évidemment de connaître le tribunal compétent auquel s'adresser, ce qui n'est pas évident. Si je dois vérifier un compte dans une banque suisse de Zug, grand lieu de blanchiment d'argent, je suis bien embarrassé pour savoir à qui envoyer ma commission rogatoire.

Autre amélioration mineure, la France a créé il y a quelques années les « magistrats de liaison », en poste dans certaines grandes capitales : Washington, Londres, Amsterdam, Rome, Madrid, Berlin, Prague et bientôt Moscou. Réciproquement, les pays qui accueillent ces magistrats de liaison envoient des magistrats en France. Nos homologues en poste à l'étranger informent la Chancellerie sur les avancées judiciaires dans chacun des pays et facilitent les rapports entre les deux juridictions. Notamment, dès qu'une commission rogatoire d'un juge français est émise, le magistrat de liaison peut informer son collègue de l'avancée des investigations demandées, et au besoin donner un petit coup de pouce. En pratique, tout dépend de la personnalité du magistrat en poste. Lorsque j'ai dû avoir recours aux autorités américaines, avec le succès décrit plus haut, mon collègue de Washington a fait l'impossible pour me tenir informé, pour relancer les policiers et pour tenter de faire aboutir mes demandes. Sans succès, certes, mais au moins j'ai été avisé très vite de l'absence de résultats. Aux Pays-Bas, c'est aussi grâce au magistrat de liaison que j'ai pu faire exécuter une commission rogatoire en moins de 24 heures afin d'étendre des investigations sur les comptes Méry. En revanche, dans mes démarches vis-à-vis de juges britanniques, le bureau de liaison de Londres n'a strictement jamais bougé. Hormis donc quelques cas très ponctuels, la création de ces magistrats de liaison, qui fit la fierté de la Chancellerie sous Mme Guigou, n'a pas fait progresser la coopération internationale. Et d'une façon générale, rien n'a bougé depuis l'Appel de Genève.

Que demandent les juges ? Qu'une enquête puisse se dérouler de la même façon en dehors de leurs frontières qu'à l'intérieur de leur pays. Pour cela, deux solutions ont été envisagées. La première repose sur la création d'un parquet européen, une sorte de pôle d'enquêteurs installé dans une grande capitale et qui serait chargé d'exécuter toutes les commissions rogatoires internationales. Le projet est encore dans les limbes. Et je ne suis pas sûr que cela soit la réponse idéale. Car seul le juge mandant a une connaissance suffisante de son dossier pour apprécier, au cours des investigations menées à l'étranger, la valeur de tout nouvel élément découvert. Il peut alors réagir et orienter aussitôt ses recherches peut-être dans une direction différente que celle initialement déterminée. Un enquêteur délégué par ce parquet européen pourra, lui, passer à côté d'un détail ou d'un nom, cité au détour de l'audition par le banquier, faute d'information suffisante.

L'autre solution, pour moi la meilleure, consiste à autoriser chaque juge européen à se rendre directement dans les pays impliqués par son enquête, pour y effectuer tous les actes de procédure nécessaires à la manifestation de la vérité. Chacun pourrait traiter directement avec les banques, demander des relevés de comptes, procéder à des auditions, organiser des confrontations ou des perquisitions dans tous les pays européens comme il le ferait dans sa propre juridiction.

Il existe toutefois un obstacle de taille, en raison des grosses différences qui existent entre les législations européennes. Quelle procédure devrait alors être mise en œuvre, celle du pays du juge mandant, ou celle du pays dans lequel se déroule l'action du magistrat ? Pour l'instant, la question reste en suspens.

Quoi qu'il en soit, aucune des deux voies que je viens d'exposer brièvement ici n'a connu le moindre début de mise en application. Au point que l'on peut se demander s'il y a une réelle volonté politique pour aller vers cette coopération judiciaire internationale. Mais bien sûr, seuls les esprits chagrins verront un lien entre cet immobilisme et le fait que bon nombre d'hommes politiques ont des comptes bancaires hors de leurs frontières…

Cette absence de coopération m'amène à m'interroger sur le comportement de certains pays. Il est évident que la Suisse n'acceptera jamais de lever le secret bancaire et de coopérer dans des délais raisonnables avec les juges étrangers. Tout simplement parce qu'elle vit de l'argent placé dans ses coffres et qui vient du monde entier s'y mettre à l'abri. Que les règles du jeu changent, et cet argent ira ailleurs, vers d'autres lieux qui continueront à se soustraire aux règles. Et la Suisse perdra sur-le-champ une partie importante de son produit national brut. Même chose pour le Liechtenstein. Privé d'une partie substantielle de cet argent sale, ce petit pays ne pourrait plus survivre.

La Grande-Bretagne fait preuve pour sa part d'une hypocrisie absolue. Est-il normal qu'un pays de l'Union héberge ces véritables zones de non-droit international que sont Gibraltar et les îles Anglo-Normandes ? C'est pourtant ce qui se passe. Les banques de Gibraltar, de Jersey et de Guernesey refusent absolument de coopérer avec la Justice. Et ni le gouvernement de Londres, ni l'Union européenne ne font pression pour que les choses changent.

Impossible évidemment d'évoquer la délinquance financière sans parler des « paradis fiscaux ». Ces zones du globe qui échappent à toute réglementation en matière fiscale hébergent des banques peu regardantes. Pas de questions indiscrètes sur les identités de ceux qui viennent y ouvrir des comptes, ni sur l'origine des sommes énormes qui y sont déposées, parfois en espèces. On peut toujours rêver, et imaginer que l'Europe décrète la suppression de ces paradis fiscaux. Au moins de ceux qui sont implantés dans l'espace européen. Pour ma part, je ne rêve plus beaucoup.

Ceux qui dirigent le monde ne sont ni les magistrats ni les politiques. Ce sont les banquiers et les entrepreneurs : l'Europe qui se construit est avant tout une Europe financière. Et tant qu'ils seront aux commandes, il n'y a aucune chance pour que les paradis fiscaux disparaissent et que la coopération judiciaire internationale devienne une réalité.

15.
Pschitt...

> Mais on ne se bat pas dans l'espoir du succès !
> Non ! non ! c'est bien plus beau lorsque c'est inutile !
> Edmond Rostand, *Cyrano de Bergerac.*

Tout ça pour ça. Presque rien. Venue l'heure du bilan, mes collègues et moi ne pouvons qu'être envahis par un sentiment de frustration, d'inutilité.

L'affaire Elf se résume pour l'instant à une paire de chaussures. Le dossier du Crédit Lyonnais est parti en fumée. L'ARC n'a pas livré tous ses secrets, la MNEF s'est enlisée dans des sables juridiques. Les histoires de financement des partis politiques ont tourné court. Sans compter les fiascos des investigations sur les comptes de la Société générale ou de la Française des Jeux. Le président de la République, enfin, pourra en cas de réélection échapper pendant cinq ans encore aux questions des juges, certes plus embarrassantes que celles des journalistes ; le temps pour les témoins de mourir ou d'oublier, pour les preuves de disparaître ou d'être détruites, pour les juges d'être mutés ou de se lasser. Seule nous reste l'amère lucidité. Des années d'enquête, des milliers d'heures de travail, des centaines de milliers de pages de procédure n'ont abouti à rien. Nos enquêtes n'étaient que des mirages. Nous avons cru qu'en serrant fort les petits bouts des grosses ficelles, en les tirant, nous pourrions ainsi remonter au centre nerveux du Mal. Erreur. D'abord parce qu'il serait simpliste de croire que le Mal a un centre : il est partout, le Mal, dans les mentalités comme dans les actes, dans toutes les couches de la population et tous les secteurs d'activité, invisible plutôt que concentrique.

Ensuite, justement, parce que parler de « Mal » est par trop manichéen. Toute une vie de juge ne suffirait pas à le caractériser. Quant à moi, je ne sais toujours pas ce que c'est. Un acte illégal n'est pas forcément mauvais en soi, il est la résultante de tant et tant de désirs, d'émotions, de pressions et de remerciements, de calculs et de négligences, d'ambitions et de laisser-aller, qu'il en devient bien plus qu'inexplicable : impalpable. Il était fatal que les juges ne puissent que l'entrevoir. Avec une foi tenant lieu de pièces à conviction, une naïveté de ligne directrice, une franchise de stratégie, il faut dire que nous étions bien mal armés, nous les juges ; de simples pions égarés dans un gigantesque jeu d'échecs.

Échec, donc. Certes, quelques sous-fifres du monde des affaires ont été condamnés, porteurs de chapeau désignés à l'avance pour assumer les risques. La classe politique a fait de même, sacrifiant sur l'autel judiciaire quelques obscurs trésoriers de parti. Mais les hommes forts sont toujours en place, les marchés truqués, les circuits financiers opaques et les filières reconstituées.

Tout continue comme avant.

Devant ce néant organisé, conçu, inévitable, il fallait s'attendre à une réaction. La voilà, elle arrive. Le moment est venu du retour de bâton. Dorénavant, ce n'est plus la corruption qui est montrée du doigt. Les nouveaux coupables, ce sont les juges, accusés d'avoir ruiné certaines sociétés en empêchant la conclusion de gros marchés, d'avoir foncé trop vite sur des ombres, d'avoir échoué des vies sur les lames de la vérité. Coupables ? Oui, sans doute. Mais davantage de n'avoir pas su trouver le bon traitement – étions-nous faits pour ça ? – que d'avoir créé la maladie. En tout cas, rien n'est plus usant que de chercher à soigner contre le gré du patient. Certains, comme moi, ont choisi de renoncer. Eva Joly retourne dans son pays natal, Laurence Vichnievski a été nommée présidente du tribunal de Chartres, Patrick Desmure se désole d'être cloué à Nanterre. Le procureur Éric de Montgolfier, lui, aurait envisagé de partir. Seul Renaud Van Ruymbeke semble satisfait de son sort. S'il n'en reste qu'un...

Les journalistes eux-mêmes se rendent compte qu'ils ont participé à cette ébullition creuse, que le soufflé qu'ils ont contribué à faire monter est retombé de lui-même. Qu'ils ont, en vain, placardé en Une certaines affaires, qu'ils se sont, à tort, investis énormément pour dénoncer certaines pratiques. Avec le recul, cela donne l'impression d'une vaste comédie médiatico-judiciaire qui aurait tourné à vide.

C'est sans doute la fin d'une époque. Il n'y aura plus de ces grosses affaires comme celles qui ont éclaté ces dix dernières années. Il n'y aura plus de juges pour aller au bout. Il n'y aura plus de journalistes pour s'engager. Il y a eu trop d'hommes blessés. Les mis en examen parfois, mais aussi des juges, des avocats, des journalistes. Pour si peu. Le système est trop fort. Lui seul perdurera. En Italie, à quoi l'opération Mani Pulite, qui avait entraîné au départ beaucoup de mises en examen spectaculaires, a-t-elle en fin de compte abouti ? À beaucoup de relaxes ou de peines symboliques, à un système économique moribond, à la persistance de certaines pratiques. Et au retour au pouvoir de Silvio Berlusconi...

Le constat est donc cruel. Faut-il pour autant désespérer ? On aimerait se dire que les choses peuvent changer, que les hommes politiques vont un jour accepter de respecter un code de bonne conduite, que les patrons vont eux aussi revenir aux pratiques saines du marché. Je n'y crois pas beaucoup. La corruption a de trop beaux jours devant elle pour y renoncer comme cela. Tant qu'il n'y aura pas une véritable volonté politique de changement, l'entêtement et la persévérance de quelques juges ne pourront rien.

Un point est clair. La corruption existe depuis des dizaines d'années. Pendant longtemps, personne n'a tenté d'y mettre un terme. Ce qui a permis au système de se renforcer considérablement. Au point qu'aujourd'hui il est parfaitement capable de fonctionner seul. Même si demain des politiques ou des patrons se réunissent pour décider d'y mettre fin, que des journalistes dénoncent et que des juges enquêtent, il y a peu de chances pour que cela ait le moindre effet réel. La machine est trop forte, rodée, installée partout. Elle aura peut-être quelques hoquets ; puis elle digérera ces péripéties comme elle a ingéré le reste.

Le salut ne peut venir que de la prise de conscience des citoyens dans ce monde où dominent l'argent et la corruption. Des citoyens que nous, juges, avons tenté d'éclairer en enquêtant sur les affaires. On touche là, je crois, notre seule contribution réelle, l'unique pierre que nous ayons su déposer aux pieds de la démocratie. Nos instructions ont désigné, accusé, montré que la corruption ne se trouve pas qu'ailleurs, sur les rivages lointains d'Asie ou dans certaines dictatures d'Afrique, mais aussi chez nous. Face à ce qui est peut-être une nouvelle forme de colonisation, c'est au citoyen des pays riches de réagir. À lui de prendre le relais. S'il ne le fait pas, s'il se contente de son statut de consommateur mouton vautré dans une société de loisir et d'égoïsme, alors rien ne changera.

C'est sans doute la véritable justification de ce livre. Tourner la page, certes. Mais aussi parachever, parfaire ma fonction d'aiguillon, de détonateur. Quand on a été aux prises avec certaines tares, on ne peut plus décemment se taire : tout silence prolongé devient œuvre de complicité.

J'ai écrit pour que mon lecteur ne puisse plus, à l'avenir, lâcher cette phrase trop facile, trop entendue en d'autres occasions : je ne savais pas.

Alors, tout n'aura pas été inutile.

Épilogue
Ailleurs...

> Ce que je voulais ? Je ne lui dis pas ; mais, à vous, je vais l'avouer : j'aurais tant aimé allumer ma pipe et lire un passage de *Robinson Crusoé* !
>
> W. Wilkye Collins, *Pierre de lune.*

Il paraît que je suis mort. Des avocats proches du pouvoir s'en sont vantés dans la presse après mon dessaisissement : « Halphen ? Il est mort ! » Des têtes sont passées dans l'entrebâillement de ma porte pour m'adresser des bribes de condoléances sincères ou convenues. Certains collègues m'ont scruté avec un drôle d'air dans les couloirs du palais, comme s'ils avaient croisé un spectre. On s'est réjoui dans ceux de l'Élysée ; chronique d'un enterrement annoncé. Qu'ils soient tous ici rassurés. Je pense encore, je ris et je lis encore, je sais toujours désirer ou aimer, il m'arrive même parfois d'oser rêver.

Mais je ne crois plus. À une justice égale pour tous. Au fait qu'un homme seul puisse triompher d'une organisation nichée au sommet de l'État. Au vol d'Icare. À courir après des moulins en trompe l'œil, même le plus déterminé des Don Quichotte finit par se lasser. Ou par devenir fou.

Raison pour laquelle j'ai décidé de partir. Ce n'est pas de gaieté de cœur, certes : on ne se sépare pas aisément d'une tâche qui a occupé sans discontinuer dix-huit ans de ses jours et de ses nuits. Mais le bonheur se trouve aussi ailleurs.

Le bureau où j'écris donne sur mon petit jardin. Les feuilles mortes recouvrent les graviers, le lilas s'est dénudé, les rosiers s'inclinent pour profiter des quelques rayons du frêle soleil d'hiver, les fuchsias ont perdu leur belle couleur éponyme, les bambous du voisin frémissent au vent ; du loin me parvient la rumeur tamisée du périphérique.

J'ai profondément aimé mon métier. Quoi de plus noble, de plus motivant, de plus passionnant que de chercher la vérité, que d'avoir pour guides la justice et l'égalité, le jugement et l'intuition, la découverte de soi dans le malheur des autres. Mais, comme dans un couple, il faut avoir le courage de rompre tant qu'il en est encore temps, quand l'amour faiblissant est encore là, avant que viennent les frustrations et les feintes, les mensonges et les trahisons. Pour ne garder en souvenir que de belles images. C'est peut-être ça, une vie : une fabrique d'images.

J'en ai trop vu, de ces magistrats fatigués et aigris, courbés sous le poids des dossiers et des complaisances, songeant davantage à l'heure à laquelle va se terminer l'audience qu'à l'homme, même le plus vil, dont ils sont en train de sceller le sort. De ces magistrats prétentieux et jaloux, pensant que rien de ce qui n'est judiciaire ne vaut qu'on s'y intéresse, plus préoccupés par l'avancement du voisin que par celui de leurs dossiers. De ces magistrats mesquins et serviles, volant au secours du puissant, prêts à tout pour favoriser leur carrière. Je ne souhaite pas finir comme eux.

Des oiseaux s'amusent sur les branches du sureau et de l'althæa, d'autres, plus gros, viennent se reposer sur la gouttière proche de la fenêtre, ça gazouille et ça roucoule à qui mieux mieux. L'hiver dernier, j'ai acheté une petite boîte en bois pour leur servir d'abri, et une moitié de noix de coco remplie de graines. La nourriture est partie en quelques jours, en revanche ils n'ont jamais voulu de ma nichette. Le trou d'accès doit en être trop étroit.

Peut-être ai-je déçu, vais-je décevoir ceux qui croyaient en moi, ceux qui à travers moi ont cru apercevoir l'ombre de la Justice ? À ces éventuels supporters je conseille de ne pas s'inquiéter : nul n'est irremplaçable et je promets que d'autres viendront un jour prendre le relais, d'autres plus frais ou plus tenaces, meilleurs techniciens ou stratèges, plus chanceux ou plus forts ; ils auront de quoi faire. Qu'ils comprennent, ceux qui suivaient mes aventures, qui s'en délectaient et s'y ressourçaient, qu'avec une envie étiolée, on ne fait rien de bon.

Non.

Les fins sont le début d'autre chose.

Quel était mon avenir dans la magistrature ? Juger, durant plusieurs années, des convois de pauvres bougres tellement défaits que même leur sort les désintéresse. Devenir conseiller à la cour d'appel, cette antichambre feutrée du vieillissement. Puis présider les assises, dont le rôle est composé à 80 % d'affaires d'inceste. Enfin, aboutir, à la soixantaine, à la chambre sociale de la Cour de cassation. Certains paraît-il trouvent ce programme alléchant.

Au fond du jardin s'élève le mur d'un entrepôt du début du siècle, en briques rouges, je l'aime bien ce mur, il m'évoque les constructions du Nord et les banlieues de Londres, les chansons des Beatles et les films de Ken Loach. Sous ce mur il y a un petit muret, en pierres, masquées par du liseron l'été. Des chats le traversent de temps à autre, l'espace d'un regard ; j'ignore à qui ils sont.

Quoi faire, alors ? Sûrement pas aller m'enrichir dans le privé, gagner ma vie à conseiller sur les meilleures façons d'éviter de se faire prendre. Servir d'alibi en faisant l'inverse de ce que j'ai accompli jusqu'ici. Pour le reste, aucune idée. Deux phares, seulement. D'abord la fantaisie, l'amusement, l'envie. Éviter l'ennui, changer, tenter d'explorer d'autres voies. Ensuite l'utilité, rendre service, aider ou donner du bonheur. Combattre d'une autre façon. Me convaincre que, oui, la vie est belle.

Un jour, me trouvant au festival des Étonnants Voyageurs de Saint-Malo quelques mois après la parution de mes *Bouillottes*, j'ai eu à affronter une question portant sur les points communs entre les métiers de juge et de romancier. Ma réponse a fusé. S'il existe une opposition tenant à la façon dont l'un et l'autre abordent une histoire, le romancier tentant de la créer, de la construire, là où le juge au contraire cherche avant tout à disséquer, à détruire, il y a entre les deux exercices une importante ressemblance.

La solitude.

Table

DANS LA MÊME COLLECTION

Cécile Amar
Les Nouveaux Communistes

Gérard Bach-Ignasse et Yves Roussel
Le Pacs juridique et pratique

Alain Bauer
Grand O
Les vérités du grand maître du Grand Orient de France

Olivier Besancenot
Tout est à nous !
Facteur et candidat de la LCR à la présidentielle

Christophe Bourseiller
Les Forcenés du désir

Jean-Charles Brisard et Guillaume Dasquié
Ben Laden, la vérité interdite

Laurent Chemla
Confessions d'un voleur
Internet : la liberté confisquée

Patrick Farbiaz
Comment manipuler les médias

Sébastien Fontenelle
Des frères et des affaires
Enquête au cœur
de la Grande Loge nationale française

Philip Gourevitch
Nous avons le plaisir de vous informer que, demain,
nous serons tués avec nos familles
Chroniques rwandaises

Arnaud Hamelin
La Cassette-testament de Jean-Claude Méry

Florence Hartmann
Milosevic

Stéphane Jourdain
Génération Chirac, génération volée

Christine Kerdellant
Le Prix de l'incompétence
Histoire des grandes erreurs de management

Emmanuel Kessler
La Folie des sondeurs

Didier Lestrade
Act up

Fabrice Lhomme
Le Procès du Tour
Dopage : les secrets de l'enquête

Stéphane Loisy
Otage à Jolo

Alain Marsaud
Une vie de chien de garde

Gérard Merle
Un militant exemplaire
Voyage dans les coulisses de la Chiraquie

Arnaud Montebourg
La Machine à trahir
Rapport sur le délabrement de nos institutions

Proposition de résolution tendant au renvoi de monsieur Jacques Chirac occupant les fonctions de président de la République devant la commission d'instruction de la Haute Cour de justice

Nathalie Raulin et Renaud Lecadre
Vincent Bolloré

Göran Rosenberg
L'Utopie perdue
Israël, une histoire personnelle

Jean-Marc Rouillan
Je hais les matins

Jean-Michel Rossi et François Santoni
Pour solde de tout compte
Les nationalistes corses parlent

François Santoni
Contre-enquête sur trois assassinats
Érignac, Rossi, Fratacci

Frédéric Teulon
Le Casse du siècle
Faut-il croire en la nouvelle économie ?

Pierre Tourlier
Conduite à gauche
Mémoires du chauffeur de François Mitterrand

Reg Whitaker
Tous fliqués !

Édouard Zambeaux
En prison avec des ados

Cet ouvrage a été réalisé par

FIRMIN DIDOT

GROUPE CPI

Mesnil-sur-l'Estrée

pour le compte des Éditions Denoël
en février 2002

Imprimé en France
Dépôt légal : mars 2002
N° d'édition : 13224 – N° d'impression . 58840